G000055999

©2016 Alexandra Gonzalez
Photographe : **Laurent Kacé ©LKC**
Mannequin : **Antoine Careil / Instagram : @antoine_careil**
**Agence D.M.A**
Graphisme **©Alexandra Gonzalez**
Refonte par **Anne Ledieu.**
ISBN : 9791094343128
Dépôt légal : Novembre 2016

# DU BOUT DES DOIGTS

## DOIGTS

**ALEXANDRA GONZALEZ**

# PROLOGUE

# LOGAN

*Deux ans plus tôt...*

Je venais de reprendre conscience. Le klaxon du tas de taule froissée qui nous maintenait dans un étau, ne cessait de hurler. Paniqué, je criais son prénom. Abby ne bougeait plus. Sa tête reposait sur le montant de sa portière. Son visage aux traits singulièrement apaisés et ses vêtements étaient maculés de sang. La vitre de son côté était brisée ; les éclats de verre qui recouvraient ses cuisses nues scintillaient sous la lumière du réverbère que nous venions de percuter de plein fouet. Sous la brutalité du choc, son siège avait reculé. J'essayais d'étendre mon bras pour la toucher, mais mes tentatives pour décoincer ma jambe bloquée par le tableau de bord et mon siège restaient vaines. Je ne sentais rien, aucune douleur. Je ne savais même pas si j'étais blessé ou non. J'étais peut-être en train de me vider de mon

7

sang. Néanmoins, la seule chose qui m'importait était de savoir si Abby allait bien. Si elle n'était qu'évanouie.

L'accident s'était passé si vite que mes souvenirs étaient infimes : un cri, des bruits, un choc, puis le néant. Jusqu'à ce que mes yeux s'ouvrent à nouveau. Tout était ma faute. En une seconde, une putain de fraction de seconde, je m'étais assoupi au volant. J'étais tout simplement épuisé. Abby avait pourtant insisté pour conduire. Borné, j'avais refusé. Nous rentrions d'un repas de famille. Je n'avais pas bu, j'étais clean, mais la fatigue accumulée dans la semaine avait eu raison de moi, de nous. J'avais vingt-quatre ans. Elle en avait vingt et un. Elle aurait dû avoir vingt-deux ans le mois suivant l'accident ; nous devions le fêter avec des amis. Je lui avais promis une fête grandiose. Or, elle est morte ce soir-là. Je l'ai tuée. J'ai tué l'amour de ma vie, mon seul et unique amour. Celle qui partageait mon quotidien depuis plus de trois ans. Nous nous étions rencontrés à l'université. Elle devait vieillir à mes côtés. Nous avions des projets de mariage, d'enfants. Je lui avais acheté une bague de fiançailles une semaine avant l'accident. Finalement, nous n'aurons pas eu l'occasion de concrétiser nos projets. Il ne m'est resté qu'un vide immense et une bague en souffrance qu'aujourd'hui encore, je fixe durant des heures en me demandant à quoi aurait ressemblé notre vie ensemble.

* * *

Je ressens toujours le manque d'Abby au fond de moi. C'est un sentiment qui ne me quittera jamais. Quelque chose qui s'est gravé au fer rouge dans ma chair. Depuis deux ans, j'avance, tête baissée, sans trop savoir où je vais, sans autre objectif que de vivre. Les personnes qui ont vécu le même drame comprendront qu'il est dur de s'en relever. Cela remet beaucoup de choses en question dont, en priorité, sa propre existence. Demain sera peut-être le dernier jour de votre vie. Alors, je profite de ce que la mienne peut m'apporter. Si vous acceptez une banalité, je dirai que je vis au jour le jour. J'ai aujourd'hui vingt-six ans et, à l'heure où je vous parle, je suis célibataire... Les prochaines heures seront déterminantes, mais vous le découvrirez au fil des pages de mon histoire.

Il y a quelques semaines, deux ans après cette tragédie, j'ai eu envie de me relancer dans une histoire, mais tout ne s'est pas passé comme je le souhaitais. À l'époque, j'étais volage, je l'avoue. Je sortais de deux ans de célibat strict où j'ai sûrement brisé bien des cœurs. Je me montrais pourtant très clair dès le départ : je ne souhaitais que des aventures sans lendemain. Je ne me prenais pas la tête. Puis, en ne restant pas plus d'une nuit avec la même femme, faire connaissance ou créer des liens était tout bonnement impossible. Je ne prenais aucun numéro de téléphone, ne donnais pas le mien et refusais les seconds rendez-vous, ou, plus exactement, les deuxièmes parties de jambes en l'air. En résumé : elles voulaient mon corps et tout ce que je suis capable de faire avec ? Parfait ! Je le leur offrais. Mais ma tête et mon cœur n'étaient pas à prendre.

J'en étais l'unique propriétaire et cela resterait ainsi jusqu'à ce que je décide de les partager à nouveau. Ne vous méprenez pas, je ne suis pas non plus un macho narcissique qui méprise les femmes. Oh, ça non ! J'ai un cœur et reçu une bonne éducation. Je suis respectueux. Cela dit, en lisant mon histoire, vous verrez que je n'ai pas toujours fait les bons choix et, quoiqu'il arrive, l'immoralité nous guette.

Je suis originaire d'une petite ville proche d'Atlanta en Géorgie aux États-Unis. Prendre la décision de parcourir le pays avec pour seuls bagages mon sac à dos et le vieux pick-up rouge Ford de mon oncle a été le seul salut que j'avais entrevu à ma dépression. Je vivais de petits jobs, de contrat d'un à deux mois, suivant les saisons. J'ai beaucoup travaillé en restauration. J'ai été coursier, puis j'ai enchaîné avec des travaux agricoles. J'ai ensuite été engagé dans le secteur de l'aide à la personne et, étant doté d'un physique plutôt avantageux, j'ai même été modèle pour des photos sexy. Un calendrier, *Sexy boys*, où j'ai figuré au mois de juillet, si je me souviens bien.

À l'époque, là où j'ai choisi de débuter le récit de cette histoire, c'est-à-dire, il y a deux mois, j'étais de retour dans le service, dans un bar en bord de plage : Le *Heaven*. Il se situait à Malibu, en Californie. J'avais obtenu ce travail par hasard. Disons que je venais de poser un pied à Los Angeles une heure auparavant et, étant passionné de surf depuis mon séjour en Floride, je m'étais rendu directement sur la célèbre plage de Malibu. Je m'étais ensuite arrêté par hasard au Heaven boire une bière.

J'étais tranquillement assis au comptoir en train de siroter ma boisson. Une magnifique femme d'une trentaine d'années et d'une beauté pure, au visage agréable quoiqu'un peu tendu venait de me servir. S'en était suivi un grand fracas en provenance des cuisines.

— Mais quelle bande d'incompétents ! avait hurlé la beauté aux cheveux noirs.

J'avais alors compris qu'elle était la patronne.

Une jeune fille avait été licenciée sur-le-champ et j'avais sauté sur l'occasion pour engager la conversation avec la boss quand, enfin, sa colère était retombée.

— Mon nom est Logan Campbell et si vous cherchez un remplaçant, je suis à la recherche d'un travail.

Elle m'avait aussitôt jaugé et scruté de haut en bas.

— Vous avez de l'expérience ? Un C.V ?

Je m'étais empressé de sortir mon téléphone portable pour lui montrer mon curriculum vitæ mis en ligne via un site internet. Elle l'avait épluché avec attention et, lorsqu'elle s'était arrêtée sur la ligne mentionnant le shooting photo pour le calendrier, un sourire narquois lui avait échappé.

— O.K., *Sexy boy*, tu commences ce soir. Dix-huit heures. Tu as une période d'essai d'une semaine. Si tu ne fais pas l'affaire, tu dégages ! Le contrat est saisonnier. Durée : deux mois à compter d'aujourd'hui. Jour de congé : le lundi. Tu arrives à l'heure et tu es souriant. Je n'aime pas les retardataires et les gens qui tirent une gueule de six

11

pieds de long. Les clients viennent ici pour se détendre et profiter de ce paradis terrestres, avait-t-elle débité d'une traite. Des questions ?

— Vous connaissez un endroit où je peux loger ?

— Chez moi. J'ai trois chambres que je loue aux saisonniers. Je prends le loyer directement sur les salaires. Les deux premières chambres sont occupées par Kandy et Sarah, deux serveuses. Et vu que c'est ton jour de chance, la dernière vient de se libérer à l'instant. Tu peux la prendre, si tu veux.

— D'accord. Et c'est où, chez vous, que je puisse m'installer ?

— Tourne la tête à gauche.

Je m'étais exécuté sauf qu'à ma gauche, il n'y avait que l'océan, le sable et la route qui longeait la plage.

— L'autre gauche, s'était-elle rattrapée, embarrassée par son erreur.

Je m'étais donc tourné dans le bon sens et avais été agréablement surpris de découvrir cette sublime et gigantesque bâtisse en bois blanc sur pilotis, plantée sur la plage.

— Ça t'ira ?

— Parfait !

— Je peux te faire confiance ? s'était-elle ensuite assurée. Il n'y a que des filles dans cette maison. Tu ne vas pas semer la zizanie ?

J'avais ri et m'étais abstenu de révéler le fond de ma pensée qui, soit dit en passant, n'était autre que l'espoir d'y trouver de belles et jeunes filles pour m'amuser un peu.

Eh oui ! J'étais comme ça...

— Vous pouvez avoir confiance, M'dame !

Je m'étais délogé de ma place pour aller emménager dans ma nouvelle et temporaire demeure.

— Sexy boy ? m'avait-elle rappelé. Tu peux me tutoyer et évite le « Madame ». Tu dois avoir, quoi ? Trois ou quatre ans de moins que moi, alors, si tu ne veux pas me vexer dès le premier jour, penses-y !

M'étant moi-même senti en confiance et ayant capté un bon feeling entre nous, je lui avais décoché un clin d'œil en raillant.

— O.K. M'dame !

— Aïe, aïe, aïe ! Tu vas me plaire, toi. Je m'appelle Marley, et non madame. J'insiste !

— Et moi, Logan, et non Sexy boy, avais-je rétorqué.

— C'est noté, Sexy boy.

J'étais parti en riant.

Voilà les conditions dans lesquelles j'avais décroché ce job. Un coup de chance. J'étais au bon endroit, au bon moment. J'y ai bossé durant un mois et demi et, apparemment, j'ai fait l'affaire puisque Marley ne m'a jamais mis à la porte, même si, certains moments ont quelque peu frôlé la catastrophe.

La première difficulté a été ma rencontre avec mes deux collègues. Kandy, une belle blonde, âgée de vingt et un voire vingt-deux ans... Jusque-là, tout allait bien. Mais mon premier contact avec Sarah fut un véritable électrochoc. Lorsque je me suis retrouvé face à elle, j'ai eu comme une sensation d'effroi.

Mon sang s'est instantanément figé et un long frisson glacial m'a parcouru le corps à la vitesse grand V. Imaginez-vous dans un endroit plutôt sympathique, vous êtes bien, vous faites ce que vous avez à faire et, tout à coup, un fantôme se matérialise face à vous. Certes, un spectre d'une beauté étourdissante, mais un retour direct dans votre passé. J'ai dû fermer les yeux et les ouvrir à nouveau, et ce, à plusieurs reprises pour réaliser que ce n'était pas une hallucination. Ce petit brin de fille, blonde, aux grands yeux noisette était le sosie d'Abby, mon Abby. Je n'en revenais pas. Combien de chances avais-je de croiser cette fille ? J'ai toujours entendu que nous avions un sosie sur terre. Je ne l'ai jamais cru jusqu'à cette rencontre. J'ai mis un certain temps avant de pouvoir m'en remettre et pouvoir engager une conversation digne de ce nom avec elle.

Passé ce petit malaise entre nous, je suis devenu leur Saint Graal, si je puis dire. Kandy et Sarah ont essayé de me séduire. Je l'ai perçu et en ai joué, il faut l'admettre. Disons que je les ai fait un peu ramer pour voir jusqu'où elles étaient prêtes à aller. Malgré leur amitié et leur complicité, une sorte de concurrence s'était installée entre elles. Un combat dont la gagnante serait celle qui coucherait avec moi en premier. J'étais un peu comme un coq au milieu de la basse-cour. Et inutile de vous dire que cette situation ne m'a pas déplu, même si cela a un peu empiété sur le travail, au grand désespoir de Marley qui, comme moi, chaque jour, comptait les points. Cela dit, ça s'est vite apaisé lorsque j'ai montré, malgré moi, une préférence pour Sarah. Quant à mes rapports avec Marley, ils étaient restés strictement professionnels. Elle était ma patronne. Point ! Certes, Une patronne à couper le souffle ! Marley était ravie de pouvoir compter un homme parmi son équipe et sa maison. Je pense que ma présence la rassurait. J'avais eu vent de plusieurs problèmes dus à la clientèle masculine. Au début de mon contrat, deux ou trois jours après mon embauche, j'ai d'ailleurs interrompu l'un d'eux dans ses intentions de tripoter les fesses de Marley lorsqu'elle passait entre les tables de la terrasse. Je dois admettre que, du haut de ses trente et un ans, Marley était une femme magnifique. Ses yeux étaient d'une couleur peu commune, entre l'or et le noisette. Ses longs cheveux lisses et noirs s'accordaient parfaitement avec son teint hâlé. Elle était toujours soigneusement maquillée et prenait soin d'elle et de son physique en allant courir sur la plage chaque matin à l'aube. Bref, ce client avait repéré ces mêmes atouts et avait ensuite porté plainte pour agression. De cette histoire, je ne m'en vante pas trop. Je lui ai cassé le nez et fracturé une côte. Cependant, et pour ma défense, je dirai que je ne supporte pas le manque de respect envers les femmes. Il s'était montré irrespectueux, point ! Marley ne m'en a jamais tenu rigueur, bien au contraire.

Bref ! Tout ceci pour vous dire que deux mois se sont écoulés après mon embauche pour, au final, en arriver là, dans un chaos total… À me morfondre sur un lit d'hôpital, à me poser des tas de questions et à regretter bien des choses.

# CHAPITRE 1

*Il y a une semaine…*
*Freeport - Texas*

Il tenait Sarah. Il allait s'en prendre à elle. Je courais encore désespérément après le van noir de cet enfoiré. Nous aurions dû nous méfier. Je le savais, je l'avais senti, mais personne ne m'avait écouté.

Lorsque le van disparut au détour du virage, j'abandonnai, à bout de souffle. Le cœur battant à une vitesse folle. J'avais l'impression qu'il allait s'extraire de ma poitrine tant il cognait fort. L'air sec que j'inspirai et expirai m'arracha la gorge. Le sprint n'avait jamais été mon fort. Mes jambes tremblèrent. Elles finirent par me lâcher. Je tombai à genoux sur la terre séchée et poussiéreuse. C'était fini. Il avait mis ses menaces à exécution. Il l'avait bel et bien kidnappée sous mes yeux, sans que je puisse rien y faire.

Je regardai autour de moi. C'était tout à coup si calme. Je ne perçus que le fond sonore des oiseaux qui piaillaient et les hennissements des chevaux dans leur enclos. Mes oreilles se mirent alors à bourdonner et la culpabilité s'empara de mon esprit. J'avais tout foiré. Tout ceci était ma faute. Cependant, je n'avais pas le temps de m'apitoyer sur mon sort. Je devais réagir. Il en allait de la sécurité de Sarah. Je tentai fébrilement de me relever. Où était passée Marley ? Je tournai la tête. Elle n'était plus derrière moi. Elle avait, elle aussi, disparu quand, soudain, le moteur de mon vieux tacot ébranla la paix environnante.

Dans un dérapage, Marley se gara à ma hauteur, laissa le moteur allumé et descendit du pick-up.

— Prends le volant, m'ordonna-t-elle, tout aussi affolée de savoir Sarah en danger.

Nous avions une ou deux minutes de retard sur le van. On pouvait le rattraper. J'en étais certain. Il n'y avait d'autre option que de suivre le chemin qui longeait les champs et le bois sur plus de trente miles avant le carrefour de *Freeport*.

Je sautai sur le siège conducteur tandis que Marley prenait place à mes côtés. Je démarrai sur les chapeaux de roue. Pied au plancher, je me lançai à leur poursuite. Ma vielle carcasse rouillée peina à atteindre les cent miles par heure.

Marley rompit le silence.

— Logan ?

— Quoi ! aboyai-je.

Suite à mon intonation rude, elle me lança un regard noir. Je le méritais. Je n'avais pas à m'énerver contre elle. Si je devais en vouloir à quelqu'un, c'était à moi et à moi seul.

Je me repris.

— Désolé. Qu'est-ce qu'il y a ?

— Je suis navrée.

Je croisai son regard sincère et baissai mes yeux sur sa main qui vint envelopper la mienne sur le volant. Les choses auraient pu être différentes si nous avions fait les bons choix. Cette observation se reflétait dans ses yeux et je ne pouvais qu'y acquiescer. Je hochai légèrement la tête et reportai mon attention sur la route.

Arriverions-nous à les rattraper à temps ? Plus le paysage texan défilait, plus j'en doutais. Cette constatation me mit dans une rage folle. Je m'emportai et tapai furieusement contre le volant.

*Putain… !*

Oui ! J'étais ivre de rage et de culpabilité. Et vous devez sûrement vous demander comment nous en étions arrivés là ? Pour le comprendre, il faut revenir environ un mois plus tôt.

Et, s'il vous plaît, ne me jugez pas trop vite. Je pense que tout le monde commet des erreurs, même le plus sage des êtres humains.

\* \* \*

19

*Un mois plus tôt...*
*Malibu*

J'aimais le lundi. Vous allez me dire : « Normal ! Vu qu'il s'agissait de ton jour de congé. » Effectivement... C'était la raison. En général, j'en profitais pour aller surfer le matin et me détendre l'après-midi. Ce jour-là, j'avais la tête dans le cul. La veille, après mon service du soir, j'étais sorti en discothèque accompagné de Sarah et Kandy. La soirée avait été très mouvementée. Et c'est peu dire que certains passages de cette soirée étaient flous tant l'alcool avait coulé à flots. À mon réveil, j'étais donc au radar. Les mains devant et advienne que pourra...

— Attention ! s'écria Marley.

Elle avait hurlé. Ou bien c'était la sensation que j'avais eue. Mes tympans avaient littéralement explosé. Je l'avais reconnue à sa voix. Ce qui voulait dire que j'avais l'ouïe encore assez fine avant qu'elle ne me les bousille. Mais, en ce qui concernait ma vue, elle était bien trop trouble pour que je perçoive qui ou quoi que ce soit. En gros, j'avais encore les yeux gonflés par le sommeil et la fatigue engendrée par le nombre de tequilas bues hier soir. Et concernant mes réflexes, je n'en avais plus aucun. Je pensais avoir butté contre une paroi. Sauf que le liquide chaud, voire même brûlant sentant le café qui dégoulinait maintenant sur mon torse nu, m'indiqua que je venais de percuter Marley. Le choc et la brûlure eurent pour effet de me réveiller et de me faire ouvrir grand les yeux.

La main sur sa bouche, Marley retint un rire.

— Oh, bon sang ! Je suis navrée. Je ne t'ai pas entendu ni vu arriver.

— À moins que ton passe-temps favori soit le jeter de café, je me doute bien.

— Houlà ! Monsieur est grognon.

Elle regagna la cuisine tandis que je restai figé à regarder le liquide s'écouler et goutter sur mon boxer et mes pieds.

— Tiens, attrape ! dit-elle en me lançant une serviette. Je te fais un café ?

— Oui, mais, s'il te plaît, sers-le-moi dans une tasse ce coup-ci.

— Ah, ah ! Très drôle !

Je m'essuyai et gagnai à mon tour la cuisine.

— Tu n'es pas au bar ?

Je me dirigeai vers le frigo, l'ouvris et me saisis du jus d'orange. Je me retournai et la scrutai avant d'aller m'asseoir. Elle était encore dans une de ses tenues de jogging, leggings et brassière qui moulaient son corps divin à la perfection. Ne pas lorgner sa poitrine et ses fesses était tout bêtement impossible pour un homme.

— Non, j'ai pris la matinée. Kandy commence à bien gérer les encaissements, je la laisse faire.

— Kandy n'avait pas trop mal à la tête, ce matin ? raillai-je en prenant place à table.

— Apparemment, vous avez beaucoup bu, oui. Mais non, elle a pris son service normalement. Sarah avait une petite mine, cela dit.

Sarah ne buvait pas d'alcool, alors ce devait être la fatigue. Je ne me souvenais pas de l'heure à laquelle nous étions rentrés, mais il devait être très tôt. Je changeai de conversation. Depuis peu, Marley fréquentait un type, un médecin, je crois. Je m'étonnai de ne pas le voir ici, vu qu'hier soir, quand nous étions partis, les filles et moi, il était là, avec elle sur le sofa du salon. Ne faisant que nous croiser depuis trois semaines, nous avions rarement l'occasion de parler ensemble, alors je m'enquis :

— Le doc n'est pas resté dormir ?

— Non, se contenta-t-elle de dire en me tendant le café.

Attendant une réponse plus complète, je la fixai. Elle baissa les yeux sur sa tasse et précisa.

— On a rompu hier soir.

— Outch ! Navré.

— Oh ! Ce n'est rien, cela vient de moi. Je souhaitais le faire depuis un moment.

— Ah bon ? Et pourquoi ? Il avait l'air sympa ce type, non ?

— Je ne prenais pas mon pied, me lâcha-t-elle de but en blanc et tout sourire.

Je ris. J'adorais cette fille et son franc parler. Aucun sujet de conversation ne semblait la déranger ou la gêner. C'était toujours un pur plaisir de discuter avec elle quand l'occasion se présentait. Elle était un peu mon égal féminin à vivre sa vie comme bon lui semblait.

— Bon et toi ? Kandy ou Sarah ? Tu t'es décidé ?

— Ni l'une, ni l'autre, avouai-je.

— Non !? T'es sérieux ? Tu les fais tourner en bourrique, en gros ?

— C'est exactement ça.

— En fait, tu es un salaud, Sexy boy.

Je me laissai retomber sur le dossier de mon siège et croisai les bras contre mon torse, l'air faussement vexé.

— Merci, tu es gentille. Mais, si j'étais un salaud, je coucherais avec l'une et l'autre à la suite, et t'imagines le bordel que ça créerait ici ?

— Tu as raison, admit-elle en lorgnant mon tatouage sur mon pectoral gauche.

Je rajoutai néanmoins :

— Je réserve ça pour la fin de mon contrat.

Je ponctuai ma parole d'un clin d'œil et elle éclata de rire, puis se leva.

— Tu es un salaud, c'est bien ce que je disais.

— Qu'as-tu de prévu ce matin ? demandai-je en passant outre sa remarque qui ne m'atteignit pas le moins du monde, puisque je savais qu'elle plaisantait.

— Baignade et bronzage ! Et toi ?

— Je vais essayer de surfer, mais…

Je me tus tout en cherchant le terme adéquat.

— … Tu n'es pas certain de pouvoir tenir en équilibre sur ta planche vu le degré d'alcool qui doit encore circuler dans tes veines, rit-elle avant de quitter la pièce.

Elle avait parfaitement résumé ma situation.

Savez-vous quels étaient les aspects de la vie de couple qui me manquaient le plus à cette période de ma vie ? Enfin, du moins, les aspects de la vie avec Abby, puisque je n'avais connu que celle-là jusqu'à présent ? C'étaient les instants de complicité que l'on pouvait avoir. Ces moments où l'on n'avait pas besoin de finir nos phrases pour que l'autre comprenne. Je me souviens de cette capacité inexplicable, cette sorte de télépathie. Nos amis, si je puis dire, puisqu'ils m'ont abandonné après sa disparition, se moquaient souvent de nous à cause de cela. À l'époque, je n'y prêtais pas tellement attention. C'était normal et instinctif. Nous étions sur la même longueur d'onde, branchés sur la même fréquence. Et plus les années, les mois et les rencontres passaient, plus je me disais que ce que nous étions capable de percevoir et de retranscrire par le simple fait de nous regarder ou d'être dans la même pièce était inestimable et si rare.

Je retrouvais un peu cette même sensation avec Marley, et c'était une bouffée d'oxygène, un bol d'air frais.

\* \* \*

Surfer me permettait d'évacuer les tensions ou de me vider l'esprit, tout simplement. Mais, ce jour-là, j'en étais incapable… Assis sur ma planche et perdu dans mes pensées à essayer de me rappeler mes exploits de la veille, je dérivais vers la plage.

Je finis par sortir de l'eau. Ce n'était définitivement pas le bon jour.

— Logan, attends !

Je me retournai, étonné.

— Logan ? prononçai-je, ahuri, tout en regardant Marley marcher vers moi vêtue de son sublime bikini blanc.

Ce maillot de bain lui allait à merveille. Sa couleur faisait ressortir sa peau bronzée. Évidemment et encore une fois, ce qui attirait le plus mon regard, c'était sa somptueuse poitrine, mais j'essayai de ne pas trop m'attarder dessus au risque d'avoir des pensées plutôt embarrassantes. Marley était une amie et, avant tout, ma patronne.

— Sexy boy, si tu préfères…

Elle gloussa, et son sourire espiègle m'attendrit.

— Qu'est-ce qu'il se passe ?

— Tu m'apprendrais à surfer ?

— Là, maintenant ?

Elle haussa les épaules.

— Oui, pourquoi pas, il n'est même pas onze heures.

Elle avait raison. Pourquoi pas, après tout, je n'avais rien d'autre à faire. Je posai alors la planche sur la sable et m'accroupis pour ôter mon attache à la cheville.

— Ton pied d'appui ? Gauche ou droit ?

— Aucune idée.

Je laissai tomber le leash et me levai pour prendre position derrière elle, puis, sans prévenir, je la bousculai en avant.

— Hey ! rouspéta-t-elle en se rattrapant du pied droit.

Sans explication, je m'accroupis à nouveau devant elle et lui plaçai le leash du bon côté.

— Qu'est-ce que c'est et à quoi ça sert ? me demanda-t-elle en tentant de garder l'équilibre.

— C'est un leash, c'est ce qui va servir à te relier à la planche. Car, malgré les magnifiques bouées dont tu es naturellement équipée, tu flottes moins bien que cette planche. C'est pour ta sécurité et celle des baigneurs.

Elle rit et se rattrapa une nouvelle fois à mon épaule lorsque, brusquement, je resserrai le lien autour de sa cheville.

Je la taquinai en levant les yeux sur elle.

— Si tu n'es pas capable de tenir l'équilibre sur terre, qu'est-ce que cela va être sur l'eau ?

Je me redressai et lui lançai un sourire moqueur. Elle me répondit en grimaçant et j'aperçus un bout de langue s'immiscer entre ses lèvres. Ce n'était pas grand-chose, mais mon esprit divagua rapidement sur ce que cette langue pourrait me faire.

— Allez ! Hop à l'eau, lancé-je après m'être mentalement mis un uppercut.

J'étais vraiment en train de perdre la tête et le contrôle de mon esprit vis-à-vis de Marley. Pourtant celle qui me plaisait le plus ici, c'était Sarah. J'avais d'ailleurs hâte de la retrouver après son service. Je me mettais des freins avec cette dernière. Simplement parce que je savais que je pouvais succomber à tout moment, et ce n'était pas mon objectif premier. Je prônais le célibat.

Je ramassai la planche et commençai à avancer en direction des profondeurs.

— Tu pourrais me donner la planche ? réclama Marley en me suivant. J'ai l'impression d'être tenue en laisse.

Je ricanai, m'arrêtai et la lui tendis.

— Tu n'aimes pas être tenue en laisse ?

Elle marqua un temps d'arrêt, perplexe quant à mon sous-entendu, et finit par rentrer dans mon jeu.

— Cela dépend de qui me tient en laisse, affirma-t-elle, le plus sérieusement du monde.

L'eau m'arrivant à hauteur de la taille, je stoppai mon chemin, lui repris la planche des mains et la plaçai entre nous en la tapotant.

— Allez ! On se met à califourchon dessus.

— Chouette ! Une de mes positions préférées, blagua-t-elle.

Bien décidé à continuer sur le terrain glissant que nous étions en train d'emprunter, je rétorquai sans gêne et le plus sincèrement du monde.

— Pour ma part, je suis davantage pour la levrette.

Elle sourit largement et se hissa dessus avec difficulté tant les vagues la secouaient. Le spectacle était plutôt hilarant. Alors, en parfait enfoiré, je ne l'aidai pas. Je ne pus retenir un sourire en savourant le fait de la voir batailler avec son équilibre.

— Je peux te poser une question ? dit-elle, une fois stabilisée.

— Hum ?

— J'ai surpris une conversion entre Sarah et Kandy à ton sujet.

— Oui. Et ?

— Pourquoi ne veux-tu pas te mettre avec une fille ? Enfin, en couple ?

Je fis semblant de réfléchir. La vérité, elle ne l'aurait pas. Je ne confiais jamais à personne les véritables raisons. Je me contentais généralement d'un vague : « Je suis jeune, je profite au maximum ». Seuls mes parents et mon jeune frère connaissaient mon histoire, ma tragédie, et je souhaitais que cela reste ainsi.

— Bon, commençai-je très sérieusement. Tu veux que je t'avoue quelque chose que seule ma famille sait ?

Mon ton grave et posé l'interpella. Attentive, elle hocha la tête tandis que je me rapprochai et agrippai un bord de la planche.

Je lui soufflai à l'oreille.

— Je suis gay.

Après tout, depuis mon arrivée, elle ne m'avait jamais vraiment vu avec une fille. Elle ne me connaissait que paradant devant Kandy et Sarah.

Je lâchai la planche et ce que j'espérais arriva pour mon plus grand plaisir. Surprise par ma révélation, elle se relâcha et ce mouvement occasionna sa chute.

J'éclatai de rire. Elle réapparut à la surface et après avoir ramené ses cheveux en arrière, elle me regarda avec de grands yeux incertains.

— Tu es sérieux ?!

— Pas le moins du monde, ricanai-je encore. Je suis cent pour cent hétéro... Allez ! Remonte sur la planche. Tu as échoué au premier test d'équilibre. Pour surfer, tu dois être concentrée et savoir garder le contrôle de tes réactions.

Elle s'exécuta et, en bonne élève, finit par se concentrer et nous enchaînâmes les premières minutes de ce cours improvisé. Au bout d'une demi-heure, tout au plus, elle arriva à tenir sur les genoux. Certes ! Pas plus longtemps que cinq petites secondes, mais c'était encourageant.

— Prends cette vague debout, Marley ! Lève-toi ! Allez ! m'écriai-je lorsqu'un rouleau s'éleva derrière elle.

Elle essaya et je dus admettre que cette fille était téméraire. Malheureusement, elle tangua et tomba la tête la première. Le courant et la force de la vague l'emportèrent sur le rivage. Elle s'échoua sur le sable humide et finit par s'asseoir et ôter le leash de sa cheville, découragée.

Je plongeai et revins à la surface à quelques mètres d'elle.

— Tu abandonnes déjà ?

J'attrapai la planche qui flottait, emportée par le va-et-vient des vagues, et la hissai sur le sable sec, puis je finis par m'allonger à ses côtés.

— Oui, je suis lessivée.

— Tu as tenu plus d'une demi-heure quand même ! C'est beaucoup ! Cela t'a plu ?

— Pour être sincère, je n'aime pas ce sport.

— Alors pourquoi vouloir apprendre ?

Après une courte réflexion, elle m'expliqua en rivant ses yeux sur moi.

— Tu n'as jamais fait une liste écrite ou mentale des choses que tu aimerais faire avant de mourir ?

Là, je dus avouer qu'elle me surprit. Je ne m'attendais absolument pas à ce que cette fille me pose cette question. J'étais en train de réaliser ma fameuse liste. Abby et moi souhaitions parcourir les États-Unis, état après état, puis finir par faire le tour du monde. C'était mon but, mon objectif à réaliser avant de mourir. Je le faisais pour elle, pour Abby. Alors, ce que venait de me dire Marley était une évidence pour moi.

— Je vois exactement de quoi tu parles, éludai-je.

— Alors voilà, même si surfer peut paraître futile, il faisait partie du bas de ma liste.

— Et quel est ton souhait suivant ?

Elle m'observa attentivement, puis, tout à coup, son visage s'illumina.

— Coucher avec Mister juillet du calendrier « Sexy Boys ».

Je crus m'étouffer.

— Tu plaisantes ?

— Je plaisante.

Elle éclata de rire en basculant la tête en arrière.

— Puis, comment sais-tu que je figure au mois de juillet ?

— Ah ! Ah ! J'ai fait quelques petites recherches sur toi, Sexy boy, continua-t-elle dans un rire franc.

Légèrement irrité par le fait qu'elle se moquait ouvertement de moi, je la saisis par les hanches pour la punir. Avec force et rapidité, je la basculai ensuite sur moi, puis nous roulâmes jusqu'à ce que je puisse me mettre sur elle et lui bloquer les bras d'une main. Je lui assenai des chatouilles qui la firent se tordre de rire et me supplier de mettre fin à la séance de torture. Lorsque je me rendis compte de notre position et de la proximité de nos corps, une sensation de chaleur se propagea dans mes veines. Cet effet me troubla et me fit prendre conscience que j'avais dépassé les bornes.

— Désolé.

Je me délogeai de ma place et m'allongeai à nouveau à ses côtés tandis qu'elle riait encore avant de reprendre son souffle. Mon acte ne sembla pas l'avoir perturbée, bien au contraire.

— Aller à Hawaii, lâcha-t-elle entre deux bouffées d'air.

— Quoi ?

— Mon souhait suivant. Je rêve d'aller à Hawaï. Je n'y suis encore jamais allée, et pourtant, mon père en est natif. J'aimerais connaître mes origines lointaines.

— C'est pourtant aussi simple que le surf à réaliser. Tu achètes un billet d'avion et *Aloha !*

— Pas en étant propriétaire d'un bar, Logan.

# DU BOUT DES DOIGTS

# CHAPITRE 2

Marley prit les rênes du bar aux alentours de quatorze heures, ce jour-là. Après manger, je pris une douche et, comme je n'avais rien de prévu de plus que de paresser sur le sofa, je m'assoupis devant la télévision jusqu'à ce qu'une main me caresse le visage.

— Quoi ? grommelai-je en attrapant le poignet de Sarah.

Penchée sur moi, elle m'observa en esquissant un doux sourire.

— Rien de grave ! Cela fait presque deux heures qu'on est rentrées avec Kandy, et tu dors encore. Si tu veux arriver à te rendormir ce soir, tu ferais mieux de te lever.

Je lui lâchai le poignet et, toujours ensommeillé, je tentai de m'asseoir correctement. Ma tête était tellement plus lourde que le reste de mon corps que ma tentative avait toute la grâce d'un éléphant de mer échoué sur la plage.

— Quelle heure est-il ? demandai-je d'un ton plus aimable.

Elle s'assit à mes côtés.

— Dix-sept heures passées.

Je m'étirai et, dans mon élan, je passai mon bras autour de ses épaules pour ensuite la ramener contre moi. Elle enroula les siens autour de mon ventre et posa délicatement sa tête contre mon torse. Sarah était très douce, et j'aimais sa tendresse. Nos câlins étaient devenus une habitude. Je savais que je poussais un peu les limites de l'acceptable, puisque je captais clairement les sentiments naissants de Sarah envers moi alors que moi, je ne voulais pas davantage que du sexe.

— Où est Kandy ?

— Sous la douche.

Je reportai mon attention sur la télé. Ils rediffusaient une série que j'aimais beaucoup, adolescent, sur trois sœurs sorcières.

— Logan ? s'exclama tout à coup Sarah en relevant le visage vers le mien.

— Oui ?

— Tu as couché avec la fille d'hier soir ?

Étonné, je manquai de m'étouffer.

— À quoi cela te servirait de le savoir ?

— Je sais que cela ne me regarde pas, mais j'aimerais te comprendre.

Je n'avais pas spécialement envie de lui répondre, puisque, effectivement, il s'agissait d'un de mes rares souvenirs de cette soirée. J'étais en effet parti quelques minutes dans mon pick-up avec une fille, une belle et grande brune à la bouche pulpeuse. Elle m'avait sucé avec une telle dextérité que...

Bref, je vous passe les détails...

— Tu veux comprendre quoi ?

— Quel est ton genre de fille ? Enfin, ce qu'il te faut pour... Et...

Elle se tut, gênée. Je percutai la fin de sa phrase.

— Pour coucher avec ?

Aussi rouge qu'une tomate bien mûre, elle hocha la tête.

— Je n'en ai pas. Je dois la trouver belle et avoir un bon feeling avec elle. Voilà, je ne cherche pas plus loin.

— Hier soir, lorsqu'on a parlé au bar, tu m'as dit me trouver belle et avoir un bon feeling avec moi.

*Eh merde !...* À mon grand désespoir, il me manquait de longs épisodes de la soirée. Il était clair que j'avais abusé de l'alcool, mais je ne pensais pas autant.

— On vit ensemble et on travaille ensemble, dis-je en grimaçant d'embarras. Cela créerait trop de problèmes, tu vois ce que je veux dire ?

— On est en colocation ensemble et, pour ce qui est du travail, on est toujours en décalé. Tu es du soir et moi du matin. Alors, non ! Je ne vois pas trop ce que tu veux dire ! Surtout après ton comportement d'hier.

*Eh re-merde !* Je l'avais visiblement vexée. Elle se délogea de mes bras, et je fus soulagé de la voir quitter la pièce sans insister. Je haïssais les prises de tête. Je ne comprenais pas tellement pourquoi elle prenait cela tant à cœur. Le problème avec Sarah était qu'elle me faisait énormément penser à Abby, c'est pourquoi je peinais à lui refuser nos câlins, et ces gestes affectueux pouvaient lui donner de faux espoirs.

Bon, oui ! Vous allez me dire que je radote comme un petit vieux avec mes : Abby par-ci, Abby par-là. Mais que voulez-vous ? Je l'aimais plus que tout. Elle était ma moitié, mon âme sœur, ma vie. Elle n'était plus là, mais elle faisait encore partie intégrante de moi, et je ne pouvais m'empêcher de comparer toutes les filles que je croisais à elle.

Pour en revenir à Sarah, elle était aussi douce qu'Abby l'était. Timide et réservée, Sarah était attachante. Physiquement, elles auraient pu être sœurs : de petite taille, visage rond de poupée au teint pâle, yeux noisette et cheveux blonds.

— Salut, beau gosse !

Kandy apparut dans le salon en culotte et débardeur.

À l'inverse de Sarah, Kandy n'était ni timide ni réservée, elle était…

— Bah ! Vas-y, fais comme chez toi, râlai-je lorsqu'elle s'allongea sur le canapé en calant ses mollets sur mes cuisses.

Voilà… ! Kandy était sans gêne. Elle se foutait de tout et de tout le monde. Elle vivait sa vie, et peu importaient les conséquences, elle fonçait.

— Alors ? Tu t'es remis de la soirée d'hier ? lança-t-elle sans bouger d'un pouce.

— Hum, et toi ?

— Yes ! Et tu t'es remis de notre baiser ?

— Quoi ?! m'estomaquai-je en balançant ses jambes sur le côté.

Elle partit aussitôt dans un rire profond, puis une fois calmée, elle télescopa son poing contre mon épaule.

— Relax ! Je plaisante. Par contre, ça me confirme que tu étais bien bourré.

— Ouais, j'ai quelques trous de mémoire.

Elle me prit la télécommande des mains et, zappant les chaînes, elle me révéla :

— Donc, je suppose que tu ne te souviens pas de ce que tu as fait à Sarah ?

J'étais prêt à me lever pour aller me chercher une bière au frigo, mais sa question me fit me rasseoir, soucieux et curieux d'entendre ce que j'avais bien pu faire comme connerie.

— Qu'est-ce que j'ai fait ?

— Tu as joué au gros connard.

— Vas-y, lâche le morceau ! Je me souviens du début de la soirée et de la fin, mais le reste, non.

— Tu as parlé des heures avec elle. Vous riiez, vous vous touchiez, tu lui embrassais le cou, bref tu l'as chauffée un max et je te passe le détail de

37

l'endroit exact où ta main se baladait. Du coup, je vous ai laissés pour me dénicher un bel apollon. Je l'ai trouvé. On a fait ce que nous avions à faire et quand je suis revenue au comptoir pour me déshydrater après un tel effort, Sarah était seule. Je lui ai donc demandé où tu étais passé et si vous aviez conclu, histoire d'avoir un ragot. Elle s'est mise à pleurer et t'a montré du doigt. Quand j'ai tourné la tête, je t'ai vu danser avec une pouffe à moitié nue. Enfin ! Danser n'est pas le terme exact. Tu la baisais littéralement sur la piste de danse, en la galochant et...

Je déconnectai totalement. Kandy continua son récit, mais je me rendais compte de ma bêtise et je comprenais mieux ma récente conversation avec Sarah. J'avais fait le con. Je l'avais blessée et avais agi comme le dernier des salauds.

Je quittai le salon et filai à l'étage. Devant la porte de la chambre de Sarah, je frappai.

— Oui, s'écria-t-elle.

J'ouvris la porte et la trouvai allongée sur son lit devant son ordinateur portable.

— Je ne te dérange pas ?

— Non, non, vas-y, je t'en prie, rentre.

Je refermai la porte derrière moi et m'avançai dans la pièce sous son regard méfiant et un tantinet triste.

— Que veux-tu ? me demanda-t-elle lorsque je m'assis sur le bord du lit.

Elle éteignit la musique, rabaissa son écran d'ordinateur et s'adossa à la tête de lit tandis que je réfléchissais à la manière d'aborder le sujet. N'ayant aucun souvenir, c'était plutôt difficile d'évaluer mon degré de stupidité. J'avais peur de la braquer. Je me souciais vraiment d'elle. Je commençais un peu à la connaître, et je savais qu'elle se renfermait comme une huître quand elle se sentait mal à l'aise.

L'avais-je tripotée ? Lui avais-je fait miroiter quelque chose ? L'avais-je abandonnée sur ces promesses ? Je devais savoir.

— Pour hier soir, je tenais à me…

— Ce n'est pas important, ne t'en fais pas, m'interrompit-elle, gênée.

— Écoute ! Pour être sincère avec toi, je ne me souviens plus trop de ce que nous avons fait et dit. Alors, je ne voudrais pas que…

— Logan ! me coupa-t-elle encore la parole. Ne t'en fais pas, je viens de te le dire, j'ai compris.

— Tu as compris quoi ? Désolé, mais je suis un peu perdu.

— J'ai compris que tu étais ivre.

— Mais je t'ai blessée, donc je m'excuse.

Elle me fuit du regard et rougit instantanément. Je plissai les yeux en me demandant ce qu'elle espérait vraiment de moi. Je la trouvais très mignonne et ne pouvais m'empêcher de la vouloir contre moi. Je lui attrapai le poignet et l'attirai à moi. Elle ne broncha pas et vint se blottir dans mes bras. Je lui embrassai ensuite tendrement les cheveux.

— Ne t'en fais pas, c'est oublié, m'assura-t-elle.

Je reculai le buste et croisai son regard.

— Ah ! Ça, pour être oublié, c'est oublié ! plaisantai-je pour détendre l'atmosphère.

— Tu te souviens vraiment de rien ?

Je secouai la tête.

— Non, de pas grand-chose, hélas !

— Alors, arrête de boire, me réprimanda-t-elle gentiment.

— Tu as raison, désolé.

Elle haussa les épaules. Je lui embrassai cette fois le front et, sentant qu'elle ne m'en voulait vraiment pas, je finis par me lever et quitter la chambre pour regagner le rez-de-chaussée et aller boire un verre au bar.

\* \* \*

Le Heaven donnait sur l'océan et sa plage privée. Sa terrasse était séparée en deux par des canisses et une partie était protégée par un auvent fait de feuilles de bambou. Ce qui donnait au lieu un côté plus exotique. L'aile gauche était la partie snack bar-restauration ; l'aile droite était davantage consacrée à la détente avec ses salons de jardin, canapés aux coussins blanc et tables basses en osier.

Ce soir-là, il n'y avait pas foule. Je m'assis au comptoir en face de Marley. Elle était concentrée sur le livre des comptes, l'air soucieux.

— Si tu veux quelque chose, sers-toi ! lança-t-elle froidement et sans un regard.

Je fis donc le tour et me versai une pression. Percevant une palpable tension, je m'en préoccupai.

— Quelque chose cloche ?

— Hum, hum, se limita-t-elle à dire.

Je me mis dans son dos et me penchai par-dessus son épaule pour inspecter les pages, puis je me proposai tout en pensant que le souci venait des comptes. J'étais plutôt doué avec les chiffres. J'aurais dû être comptable si je n'avais pas décidé de tout abandonner pour faire le tour du monde en hommage à Abby.

— Tu veux de l'aide ?

Elle se décala hâtivement comme si ma proximité l'insupportait au plus haut point. Elle referma le cahier, le glissa sous le tiroir-caisse et s'en alla vers les cuisines en murmurant sèchement.

— Non, ça ira.

Perplexe, je me retrouvai seul en me demandant si, un jour, j'arriverais à comprendre les femmes et leurs sautes d'humeur. L'instant d'avant, elles se jettent dans tes bras en te vénérant, et la minute d'après, tu es, à leurs yeux, le plus infect connard que la terre ait porté.

Sa fuite occasionna la chute d'un post-it, je me baissai pour le ramasser et lus l'inscription.

Freeport Texas
8AOR5??

# CHAPITRE 3

La nuit était tombée. Kandy et Sarah devaient être au lit pour rattraper leurs heures de sommeil perdues de la veille. Allongé sur une chaise longue sur la terrasse face à l'océan et mon Smartphone à la main, je naviguais sur les réseaux sociaux. Tout au long de mon escapade dans le pays, j'avais fait de nombreuses rencontres. Il m'arrivait souvent de prendre de leurs nouvelles par ce biais : *Facebook*, *Snapchat* et *Instagram*. J'en profitais aussi pour donner signe de vie à mes parents qui s'inquiétaient sans cesse. Ma mère était du genre à m'appeler chaque soir si je ne le lui avais pas interdit pas. Je me préoccupais aussi de mon petit frère, Joshua, qui filait du mauvais coton. De six ans mon cadet, il avait un penchant pour la fête et l'alcool qui nuisait à ses études. Je ne l'en blâmais pas. Il avait raison de profiter de la vie. Sauf que ce petit con, si je puis dire, avait tendance à exagérer, et ses séjours, tous frais payés, au poste du shérif de notre ville m'exaspéraient. Alors, je lui remettais souvent les pendules à l'heure par téléphone. Et inutile de vous dire qu'il n'en avait rien à faire. Cela revenait à pisser dans un violon.

— Nan… ! Sexy boy a un clone ?

Je me retournai et relevai le visage vers Marley, penchée au-dessus de moi. Je me sentis confus quant à sa soudaine bonne humeur. Dire que, deux heures avant, elle m'avait presque envoyé promener. D'un sourire agréable, elle scruta attentivement la dernière photo Instagram de Joshua. Il était vrai que nous nous ressemblions énormément. Si nous n'avions pas tant d'écart d'âge, on aurait pu croire que nous étions jumeaux. Il était ma réplique à vingt ans, même visage long à la mâchoire carrée et la même couleur d'iris gris bleu.

J'éteignis mon téléphone et le remis dans la poche de mon short.

— C'est mon petit frère.

Elle s'assit sur la chaise longue à côté de la mienne et prit ses aises en soupirant de soulagement, sûrement éreintée à cause du travail.

— Mais il est bien moins sexy que moi, plaisantai-je.

— C'est vrai, il est bien moins viril.

— Il a vingt ans.

— C'est un bébé, alors, gloussa-t-elle.

Sa décontraction me dérouta.

— Quoi ? me dit-elle alors que je la dévisageais avec insistance.

— Ça y est, tu ne me fais plus la tête ?

— Je ne te faisais pas la tête.

Son sourire s'effaça. J'abandonnai. Elle n'avait de toute évidence pas envie d'en parler.

— D'accord.

— La maison est bien calme, remarqua-t-elle ensuite. Où sont les filles ?

Reportant mon regard sur l'horizon et l'océan éclairé par le clair de lune, je lui fis mon rapport.

— Elles sont dans leurs chambres. Elles doivent dormir, je suppose. Après manger, Kandy, nous a fait profiter de son habituelle conversation téléphonique avec sa copine. On sait maintenant qu'un certain Scott a la plus grosse queue qu'elle ait jamais vue et que, demain soir, elle a un rencard avec lui. Elle hésite sur la tenue à porter. Je lui ai proposé d'y aller directement à poil, mais je me suis reçu un coussin en guise de réponse. Du coup, elle est allée s'enfermer à l'étage en me traitant d'obsédé. Et pour ce qui est de Sarah, elle était fatiguée.

Marley se mit à rire.

— Merci pour les détails, mais je n'en attendais pas tant.

— Je te fais partager ce que tu as loupé.

— À ce propos, tergiversa-t-elle. J'ai loupé un épisode avec Sarah ?

— Tu parles de quoi ?

— Tu n'étais pas censé attendre la fin de ton contrat ? Tu m'as menti ce matin, pourquoi ?

Voici le résultat d'une vie en colocation avec trois filles : tes moindres faits et gestes sont rapportés et, je suppose, amplifiés dans l'heure. J'étais légèrement embarrassé qu'elle me pose cette question.

— Je ne me souviens de rien, avouai-je, un sourire incertain collé au visage. Mais apparemment, oui, j'ai fait l'abruti avec Sarah.

Elle m'observa sans me répondre. Je m'attendais à une parole moralisante ou qu'elle se moque de moi, tout simplement, mais elle n'en fit rien. Elle resta muette, les yeux fixés aux miens. Puis, elle quitta sa place. Je la suivis du regard tandis qu'elle descendait les marches qui donnaient directement sur la plage.

— Qu'est-ce qu'elles t'ont raconté ?

Elle se retourna vers moi et, incurvant ses lèvres en un magnifique sourire, elle agrippa l'ourlet de son tee-shirt qu'elle ôta ensuite avec lenteur et sensualité. Elle le laissa retomber sur le sable et fit de même avec son short en jean qu'elle enjamba et poussa sur le côté. Évidemment, je ne loupai pas une miette du spectacle et pris plaisir à l'observer. Même en faisant abstraction de son corps de rêve, il y avait décidément quelque chose d'ensorcelant chez cette fille. Elle dégageait un charisme et une assurance envoûtante. Je m'en apercevais davantage de jour en jour et ce n'était pas pour me déplaire. Elle était assez différente de toutes ces filles que j'avais l'habitude de côtoyer. En général, je provoquais des sourires gênés, des regards fuyants ou des rougissements de pommettes. Avec elle, rien de tout cela ! Elle était tout aussi troublante que fascinante.

Elle me tendit une main.

— Si tu veux le savoir, viens te baigner avec moi.

Elle ponctua sa phrase par un clin d'œil.

*Pourquoi pas… ?* Je me levai et réservai le même sort à mes vêtements pour me retrouver juste en boxer.

— Va pour un bain de minuit, annonçai-je en la rejoignant.

— Il faut être nu pour qualifier cette baignade d'un bain de minuit, me semble-t-il, non ?

La suivant sur le sable, j'émis un léger rire.

— Il est minuit passé, donc je pense qu'on peut la qualifier comme cela, non ?

Elle stoppa son chemin, agacée par ma remarque.

— Bon sang ! Que vous pouvez être terre à terre, vous, les mecs.

J'aimais la taquiner. Elle partait toujours au quart de tour. Je me tournai vers elle tout en continuant ma route.

— Quel est le problème ? ricanai-je en haussant les épaules. On va se baigner et il est minuit. C'est donc un bain de minuit, non ?

Elle s'opposa.

— En réalité, il doit être une heure du matin, puisque j'ai fermé le bar à une heure moins le quart.

— Dans ce cas, dis-je en m'arrêtant, les pieds dans l'eau, allons-y pour le bain d'une heure…

Sous son regard déconcerté, je passai mes doigts sous l'élastique de mon boxer et, dans un mouvement souple, je l'enlevai. Puis, tout sourire, je me redressai en lui dévoilant mon anatomie qu'elle lorgna aussitôt. N'étant absolument pas pudique, cela ne me dérangeait absolument pas de me retrouver nu devant elle. Son regard insistant sur mon service trois pièces me fit d'ailleurs bien marrer.

— Tu fais toujours le contraire de tout et de tout le monde, finit-elle par constater d'une voix étranglée.

— Tu me connais bien, dis donc !

— Maintenant, je te connais encore mieux, railla-t-elle sans avoir relevé les yeux. Et je ne suis vraiment pas déçue.

Je ricanai tout en pivotant vers l'océan et m'avançai prudemment dans l'eau.

— Ce côté-ci n'est pas mal non plus ! lança-t-elle ensuite. On en croquerait bien un morceau.

— Vas-y ! Je t'en prie…

Je plongeai et sentis la morsure fraîche de l'eau. Lorsque je remontai à la surface, Marley n'avait mis qu'un pied dans l'eau.

— Je t'ai connue plus courageuse !

— Laisse-moi le temps. Elle est glacée.

Nageant tranquillement sur le dos, je m'enquis à nouveau.

— Bon, alors, tu me racontes ce qu'elles t'ont dit sur ma soirée d'hier soir ?

— Pourquoi es-tu si inquiet et impatient de savoir les ragots qui courent sur toi ?

— Parce qu'il ne s'agit peut-être pas de ragots, mais de la vérité.

— Oh ! prononça-t-elle tout en s'immergeant doucement dans l'eau.

Elle fit quelques brasses jusqu'à moi.

— Tu aurais fait des coquineries à Sarah devant tout le monde et tu l'aurais laissée en plan pour une autre fille.

Bon, jusque-là, rien de nouveau sous le soleil.

— D'autres détails ? m'assurai-je.

Elle bascula la tête en arrière et s'esclaffa.

— Oh, mon Dieu ! Tu ne te souviens vraiment de rien ?

— Non, avouai-je dans une grimace.

Après s'être approchée davantage de moi, elle me précisa.

— Tu aurais passé un moment avec une main entre ses cuisses et l'autre dans son décolleté, pour finir par faire la même chose à une autre fille et le tout, sous ses yeux. Voilà ce que l'on m'a rapporté.

Son magnifique sourire, celui que j'adorais contempler, s'effaça lentement.

— Bref, ajouta-t-elle. Tu as joué au gros salaud, Sexy boy, et ce n'est pas très gentil pour la pauvre et douce Sarah.

— Je sais, et je m'en veux beaucoup d'avoir dérapé.

— Tu fais bien…

Son visage s'illumina à nouveau. Je perçus que le sujet était clos, aussi je m'abstins de tout autre commentaire.

— Tu es une véritable énigme, Sexy boy.

Je pouvais en dire autant d'elle, mais là aussi, je me tus, curieux de savoir comment elle me percevait.

— C'est-à-dire ?

— Tu parles très peu de toi.

Je haussai une nouvelle fois les épaules. Je détestais parler de moi. Elle était d'ailleurs un peu comme moi, à ce niveau-là. Nous avions ce trait de caractère en commun, et cela me convenait tout à fait.

Elle s'éloigna de quelques mètres et revint en marchant, l'eau à hauteur de sa taille. Jusque-là immergé jusqu'au cou, je me redressai aussi pour lui faire face.

— Il n'y a pas grand-chose à dire, éludai-je tout en décollant une mèche de ses cheveux mouillés de son épaule.

— Commençons par là.

Elle posa un doigt sur ma poitrine, au niveau de mon pec, là où se trouvait mon tatouage. Pour être plus exact, la retranscription d'une célèbre citation.

*« Nous avons deux vies. La seconde commence lorsque nous nous rendons compte que nous n'en avons qu'une seule. »*

Elle le lut à haute voix et s'enquit.

— Pourquoi ce tatouage ?

Je lui attrapai le bras et pris sa main dans la mienne.

— Le message me plaît.

— Au point de le garder toute ta vie sur toi ?

— À ce point, oui.

— Qu'est-ce qu'il signifie pour toi ?

Il correspondait au souvenir d'Abby. Je voulais vivre ma vie à fond et sans regret. Tout pouvait s'arrêter du jour au lendemain. J'en avais pris réellement conscience lors de son décès, et ma deuxième vie avait démarré à ce moment précis.

— Il signifie : vivons au jour le jour.

— D'accord.

— À moi de poser une question, maintenant.

Elle sourit plus largement.

— Je t'écoute.

— Pourquoi tu me faisais la tête tout à l'heure au bar ?

Je vis un changement s'opérer sur son visage. Je perçus son agacement.

— Je ne te faisais…

— La vérité, Marley ! la coupai-je avant qu'elle n'esquive une nouvelle fois le sujet.

Elle soupira.

— Quelqu'un me menace.

— Quoi !? Comment ça ?

— Logan, ce ne sont pas tes affaires, reste en dehors de ça, tu veux ?

— Oui, mais…

— S'il te plaît ! dit-elle fermement.

Elle recula et rompit le contact de nos doigts. Resté trop longtemps debout à l'air, je me replongeai dans l'eau jusqu'au niveau du cou et, ne supportant pas de la voir si accablée, je l'attirai à moi. Elle hésita, mais finit par se laisser aller et venir se blottir dans mes bras.

— Merci, murmura-t-elle.

— Merci pour quoi ? Je n'ai rien fait. Tu veux rien me dire.

Elle m'enlaça avec davantage de force et cala son front dans le creux de mon cou.

— Merci pour ce câlin. Tu es un mec très tendre, Sexy boy.

— C'est vrai, avouai-je. J'ai toujours été comme ça. Gosse, mes parents s'inquiétaient de ma tendance à faire des câlins à tout le monde, même aux inconnus. On m'ouvrait les bras : j'accourais.

Relevant le menton, elle plongea ses yeux dans les miens, puis se moqua.

— Oh ! C'est trop chou…

— Bon, aujourd'hui, rien n'a vraiment changé, à part l'endroit. Une inconnue m'ouvre ses cuisses, j'accours aussi.

— Rhô, mais quel obsédé !

Elle rit et enroula ses jambes autour de mes hanches. Je me crispai, étonné par sa soudaine audace. La sentir contre ma peau nue me réchauffa. Ma queue eut un regain d'énergie malgré la fraîcheur de l'eau. J'aurais pu être gêné, mais le sourire qu'elle échangea avec moi me fit comprendre qu'elle était plutôt ravie de la réaction de mon corps.

— Comme cela ? minauda-t-elle en approchant son visage du mien.

Survolant sa bouche avec une irrésistible envie de l'embrasser, je murmurai.

— Tu n'es pas une inconnue.

— Tu ne couches qu'avec des inconnues ?

— Oui. C'est moins de prise de tête.

— Dommage…

Elle plongea une main sous l'eau et empoigna mon pénis qui se gonflait davantage sous ses caresses. Son regard ne quitta plus mes lèvres. Le désir de lui ôter ses sous-vêtements me démangeait les doigts. Excité, je finis par ne plus lutter. Je lui caressai la joue de mon pouce, puis calai une main sur sa nuque. Impatiente, elle susurra mon prénom tout en relevant le menton, tel un appel désespéré. J'étouffai son soupir en lui donnant un baiser lent et doux. Je savourai son contact et le goût de ses lèvres salées. Je lui bloquai le poignet. Ses va-et-vient s'intensifiaient.

— Profite, c'est pour toi, susurra-t-elle contre ma bouche.

J'abandonnai et la laissai faire. Ses gestes étaient maîtrisés et parfaits, sa poigne, ferme. C'était exquis, et je ne mis pas longtemps avant d'exploser dans un râle de plaisir.

— Tu sais qu'il est déconseillé d'embrasser sa patronne, dit-elle, tout sourire et fière de m'avoir fait jouir.

Après m'être remis, je ripostai.

— Tu sais qu'il est interdit de branler son employé.

Elle rit à nouveau, puis son visage se ferma instantanément.

— Arrête de me regarder comme ça, me lança-t-elle d'un ton faussement menaçant.

— Je te regarde comment ?

— Comme si tu voulais me sauter dessus.

— Je veux te sauter dessus.

— Ben alors ? Qu'est-ce que tu attends ?

C'était à mon tour de rire. Elle allait droit au but, et je ne m'attendais pas à moins de sa part.

— Si je te saute dessus maintenant, je vais être obligé de démissionner de mon poste demain.

À l'expression de son visage, j'arrivai à lire dans ses pensées et perçus qu'elle se doutait de ma réponse. Elle haussa les épaules et se redressa pour finalement regagner la plage.

— Quoi !? m'écriai-je en riant encore. Tu n'insistes même pas un peu ? Tu me masturbes et tu te casses ?

— Oui, Sexy boy ! Je ne suis pas Sarah, moi !

Je la suivis hors de l'eau.

— Ça veut dire quoi, ça ?

Elle se pencha pour ramasser mon boxer.

— Ça veut dire que je ne suis pas folle amoureuse de toi et donc pas prête à te supplier pour une partie de jambes en l'air.

— Sarah n'est pas amoureuse de moi.

— Ouvre les yeux un peu !

La voyant partir vers la maison avec mon sous-vêtement en main, je m'interloquai.

— Euh… tu pourrais me rendre mon boxer, s'il te plaît ?

Elle se retourna tout en continuant son chemin à reculons.

— Non, je le garde en souvenir, rit-elle. Puis, c'est un plaisir pour les yeux de te voir te balader nu sur la plage. Ne me le gâche pas.

# CHAPITRE 4

L'humeur de Marley se détériorait de jour en jour. J'essayai vainement de la faire parler au sujet de ces soi-disant *menaces*. Je ne comprenais pas ce qu'il se passait et m'inquiétais vivement pour elle. Depuis notre petite baignade nocturne — ou notre attouchement aquatique, selon votre jugement —, rien n'avait réellement changé dans nos rapports et cela me soulageait. Nous entretenions toujours cette fraternelle complicité et aucune ambiguïté n'était survenue depuis lors entre nous.

Pour ce qui était de Sarah, j'essayais de prendre mes distances. Je fuyais nos câlins ou toute autre marque d'affection. Je connaissais son faible pour moi, et cette histoire pouvait très vite déraper, puisque, de jour en jour, je m'attachais davantage à elle. Et, au fond de moi, je savais que c'était pour de mauvaises raisons. Depuis ce choix, je remarquais chez elle un changement de comportement. Son soudain répondant et sa soudaine décontraction me déroutaient.

— Logan, tu nous accompagnes en discothèque, ce soir ? me demanda Kandy quand je passais le seuil du hall d'entrée.

Fatigué par cette soirée éreintante de service, je m'assis lourdement sur une chaise de la cuisine, puis jetai les clefs du Heaven sur la table.

— Sarah et toi ?

— Je crois que Marley vient aussi.

— D'accord. Comptez sur moi.

— Super, ajouta-t-elle en se vernissant un ongle d'un rouge pétard.

— En parlant de Marley, tu sais où elle est ?

Concentrée sur sa tâche, son visage se fendit d'un large sourire espiègle.

— Pourquoi ? Elle te manque déjà ?

Je la réprimandai d'un regard noir. Elle comprit alors qu'il fallait qu'elle arrête ses sous-entendus graveleux.

— Elle se prépare dans la salle de bain du bas, finit-elle par me dire.

— O.K, merci.

Je me levai et quittai la pièce. Devant la porte de la salle de bain, je frappai.

— Je peux entrer ?

— Oui. Vas-y, tu peux entrer.

Je m'exécutai et le regrettai aussitôt.

Uniquement vêtue d'un string, Marley se tourna vers moi avec beaucoup de décontraction et de malice dans le regard.

— Qu'est-ce qu'il se passe ?

— Euh…

J'eus besoin d'un temps d'adaptation. J'encaissai un uppercut imaginaire et tentai vainement de maîtriser mon excitation. Je pris une longue inspiration tout en essayant de garder une expression détachée. Sauf que le mieux pour paraître crédible, aurait été de relever les yeux sur son visage au lieu de lorgner sa poitrine tel un affamé ou un adolescent en rut. Aussi, fermer la bouche aurait pu me donner l'air moins idiot.

Vous connaissez le loup de *Tex Avery* ? J'aurais pu incarner le personnage à la perfection. Il ne me manquait plus que le filet de bave et le rôle était dans la poche.

— Logan ? rit-elle. Tu voulais me dire quoi… ?

Je me secouai mentalement et arrivai enfin à la regarder dans les yeux. Hélas pour moi, je ne me souvenais plus du but de ma présence ici.

— Le post-it, prononcé-je en ravalant ma salive.

Elle s'avança, se colla à moi, puis se pencha pour agripper la porte derrière moi.

— Marley…, grognai-je, déconcerté par ce qu'elle provoquait en moi.

Nos visages à quelques centimètres l'un de l'autre, elle riva ses yeux aux miens et, d'une mine innocente, mais peu farouche, elle rétorqua.

— Quoi ? Il y a un problème ?

— Arrête de m'allumer !…

Le claquement de la porte me ramena sur terre. Elle recula, prit un air plus sérieux, et je pus reprendre une respiration normale.

— Désolée, j'avais froid, dit-elle. Donc ? Tu dis, le post-it ? Quel post-it ?

Je me lançai.

— L'autre jour, je suis tombé sur un post-it au bar où tu avais écrit « Freeport Texas » et noté des chiffres et des lettres. Je me suis dit que cela avait peut-être un rapport avec les menaces dont tu m'as vaguement parlé et…

— Pourquoi ? s'agaça-t-elle. Je t'avais dit de…

— Laisse-moi parler !

Elle se tut, furieuse et surprise par mon ton sec.

— J'ai fait quelques recherches. Et, après déduction, je me suis dit que cette série de chiffres et de lettres pourrait correspondre à une plaque d'immatriculation. J'ai fouiné sur les registres d'internet et, effectivement, cela correspond à une centaine de véhicules immatriculés au Texas. Dont dix déclarés volés. Alors, Marley, dis-moi si ce post-it a bien un rapport… Je peux t'aider !

Sans répondre, elle me fixa et soupira. Son visage se tendit et ses yeux brillèrent. Je sentis qu'elle allait se défiler pour la énième fois. J'abaissai les épaules et soupirai à mon tour lorsqu'elle enfila son peignoir et me demanda de me pousser de devant la porte.

Je me décalai et la suivis dans le couloir.

— Merde, Marley ! Réponds-moi !

Je m'emportai, exaspéré par son silence. Elle se retourna en me foudroyant du regard.

— Je suis ta patronne, Logan ! Tu ne me parles pas sur ce ton !

Je ris amèrement. Elle se foutait de moi, là ?

— Oh putain, la bonne blague ! Tu te balades à poil devant moi. Tu m'allumes à longueur de temps et… et, je te rappelle que tu m'as branlé, l'autre nuit ! Alors, le coup de la patronne offusquée, tu l'évites…

Je mis un terme à ma tirade pour suivre la soudaine direction de son regard. Son visage avait pris une tout autre teinte et sa subite gêne m'alarma.

Je pivotai donc sur moi-même et tombai nez à nez avec Sarah et Kandy.

*Eh merde !…*

— Oups, désolée, ricana Kandy, toutefois peu navrée vu son air enjoué. Les feux de l'amour, acte un, scène un… Action ! On vous laisse continuer… On n'est plus là. Vous nous voyez plus…bye !

Kandy agrippa aussitôt les épaules de Sarah et la contraignit à faire demi-tour. Je croisai le regard dévasté de cette dernière. Apprendre si brutalement, cela la blessait forcément. Je pouvais voir à quel point elle me détestait, à présent. Elle était bel et bien folle de moi. Toutefois, ce qui m'arracha le plus les tripes, ce furent les flashes incontrôlables qui se succédaient dans mon esprit. Je revoyais Abby, nos disputes. Ses yeux noirs qui me foudroyaient. Les fois où je m'étais comporté comme un vrai connard avec elle. J'étais submergé par la culpabilité de m'être querellé avec elle pour des broutilles qui n'avaient pourtant aucune importance. Je voulais remonter le temps. Je souhaitais aussi prendre Sarah dans mes bras et lui dire à quel point j'étais navré de lui faire de la peine. Tout était confus dans ma tête.

Elles finirent par tourner les talons et quitter le couloir tandis que Marley et moi nous fîmes à nouveau face.

— Logan, tu me refais ce coup, tu es viré, me lança-t-elle, enragée.

J'ouvris la bouche prêt à riposter, mais elle ne m'en laissa pas le temps.

— Je ne te parle pas de nos rapports, mais du fait que tu es allé trop loin. Tu n'avais pas à fouiner dans ma vie privée.

— D'accord, acquiesçai-je, tout aussi furieux. J'ai compris. Je te laisse dans ta merde… Débrouille-toi toute seule comme une grande.

# CHAPITRE 5

Ce soir-là, j'avais pris le volant de la *Ford Escape* de Marley pour nous amener au *Mason,* le night-club que nous avions l'habitude de fréquenter. Et inutile de vous dire que l'ambiance dans la voiture fut plutôt tendue. Marley et Sarah ne s'adressèrent pas la parole. Quant à Kandy, fidèle à elle-même, elle essaya de détendre l'atmosphère avec des réflexions marrantes et des blagues. Son comportement détaché me plut. Elle ne prenait rien au sérieux, certes, mais c'était appréciable dans une situation comme celle-ci. Finalement, je ne connaissais pas tellement Kandy. J'avais cru comprendre qu'elle était originaire de Floride, puisqu'elle connaissait bien l'endroit où j'avais séjourné, il y a de ça quelques mois. Mais, comme nous tous, elle évoquait rarement sa famille. Nous étions tous les quatre très peu bavards sur nos vies respectives. C'était à se demander si Marley ne nous avait pas engagés pour cette raison.

Au Mason, je pris mes cliques et mes claques loin des filles. Ma présence n'était de toute évidence pas la bienvenue. Peu importe, je n'avais besoin de personne pour passer une bonne soirée. Nous nous étions seulement entendus pour que Sarah prenne le volant au retour, vu qu'elle ne buvait jamais.

Pour ma part, depuis le décès d'Abby, j'avais tendance à abuser de l'alcool. À l'époque, mes parents s'en étaient inquiétés. Ils pensaient que je sombrais dans la boisson. Pour être sincère, je n'en étais pas loin. J'étais ivre du matin au soir. J'étais dans une sorte de spirale infernale. Cela me soulageait autant que cela me détruisait. Je me sentais bien un temps et, lorsque je décuvais, je revivais pleinement l'horreur du vide de l'absence d'Abby, alors, je recommençais, encore et encore. C'était une histoire sans fin. Ce qui m'a ensuite sauvé fut le sexe, du sexe encore et toujours, avec n'importe qui, n'importe où. C'est pathétique, mais, après cette descente aux enfers, je me suis un peu repris grâce à mon oncle qui avait vécu une situation similaire. Il m'avait expliqué ou plutôt convaincu que je pouvais retrouver foi en la vie ailleurs que dans une bouteille. Donc, au lieu d'écumer les bars pour boire, je me suis tapé toute leur clientèle féminine et, ma foi, ce n'était pas désagréable.

Puis, vous connaissez la suite. Je suis parti faire le tour du pays pour retrouver le goût de vivre.

Mais revenons à cette soirée, au Mason…

J'étais assis au comptoir depuis environ une demi-heure, un verre à la main. Je parlais avec une belle Eurasienne prénommée Paloma, tout juste âgée de vingt ans. Une étudiante française venue faire ses études aux États-Unis. Elle maîtrisait notre langue à la perfection, et je comptais bien découvrir si elle était aussi douée pour en jouer emmêlée à la mienne. Voire plus si affinités... et j'attendais *le plus si affinités* avec impatience.

Sa gestuelle, ses sourires, ses yeux me provoquaient. Sa façon d'humidifier ses lèvres charnues m'inspirait des actes tellement excitants que ma queue était déjà prête à l'emploi, dure et dressée. Sa main se baladait sur mon épaule. J'avais envie qu'elle se montre plus audacieuse. Alors, je la lui enserrai et la lui posai sur ma cuisse. Ce geste créa un blanc dans notre discussion, mais n'ayant pas suivi son récit, cela m'était totalement égal. Je ne rêvais que d'une chose, la prendre à pleine bouche. C'était d'ailleurs ce que je m'apprêtais à faire en glissant mes doigts dans ses cheveux et me penchant sur elle. Comme pressenti, elle accueillit mon baiser avec autant d'appétit que moi. Elle me dévora et j'en fis autant. Ses lèvres avaient le goût de son cocktail à la menthe et étaient d'une fraîcheur grisante. Dans un fantasme exaltant, je les voyais déjà coulisser le long de mon pénis.

Je devais absolument trouver un endroit adapté pour passer aux choses sérieuses. Je n'étais plus en possession des clefs de la voiture de Marley. Je devais donc trouver un plan B. Je quittai la savoureuse bouche de Paloma et scrutai les alentours jusqu'à ce que mon regard soit attiré par la lumière verte d'une sortie de secours.

Ravi de ma découverte, je lui indiquai à l'oreille tant la musique était forte :

— Viens avec moi, on va trouver un endroit plus tranquille.

Elle me sourit et accepta. Je me levai, lui attrapai la main. Je fis deux pas et m'arrêtai net, stupéfait par le spectacle qui se jouait devant moi.

Je vous ai déjà parlé du fait que Sarah se comportait d'une manière étrange ? Eh ben, voilà !

Ce qui se passait sous mes yeux en était la preuve concrète. Jamais, au grand jamais, Sarah n'aurait fait ce qu'elle était en train de faire sur cette foutue piste de danse si elle n'avait pas assisté à ma dispute avec Marley.

Je lâchai Paloma et lui demandai de m'attendre. Ce qu'elle fit bien sagement. Je me faufilai aussitôt entre les danseurs et, à hauteur de Sarah, je lui agrippai le bras et la poussai en dehors de la piste.

— Quoi ? Lâche-moi ! rouspéta-t-elle.

Je fus alors submergé par une odeur piquante de whisky. Elle empestait l'alcool à dix bornes.

— Tu es ivre ?

Elle rit.

— Un peu.

Je jurai, furieux qu'elle ait bu.

— Merde ! Mais tu es inconsciente ? Tu devais prendre le volant ! Où sont Marley et Kandy ?

Elle haussa les épaules.

— Aucune idée.

— Qu'est-ce qui t'a pris de boire ? Et puis, c'était quoi cette manière de te frotter contre ce blaireau ?

Elle écarquilla les yeux, estomaquée.

— Tu me fais la morale !?

— Non, Sarah ! Mais ça ne te ressemble pas d'agir comme une pute et une ivrogne.

— Tu ne me connais pas, Logan !

— J'en sais suffisamment sur toi pour savoir que tu n'es pas du genre à faire bander un type avec tes fesses sur une putain de piste de danse au milieu d'autres connards qui, en plus, te matent comme des affamés prêts à te sauter dessus !

Elle me balança un coup sur l'épaule et s'écria :

— Va te faire foutre !

Elle tenta de s'échapper. Je la rattrapai de justesse par le poignet.

— Non, toi, va te faire foutre.

— Alors, pourquoi tu ne me laisses pas partir ?

Hors d'elle, elle fixa mes doigts l'enserrer.

— Parce qu'on va rentrer. Tu fais n'importe quoi.

— Tu n'es pas mon grand frère ni mon père, alors lâche-moi !

— Non ! On rentre.

Contre toute attente, elle se mit subitement à rire.

— Quoi ? fis-je, perplexe d'un tel changement de comportement.

— Tu es jaloux.

Jamais de la vie…

— Kandy avait raison, poursuivit-t-elle.

— Comment ça ?

— Elle m'avait dit d'essayer de te rendre jaloux pour voir si tu réagissais. Et, si tu te mettais en colère, c'était gagné.

— Arrête de dire des conneries, je ne suis pas jaloux. Je suis juste furax contre toi parce que tu as bu et que, maintenant, on doit rentrer parce que je suis sûrement le seul qui soit encore en état de conduire.

Elle rit de plus belle.

— Je n'ai pas bu, Logan.

— Arrête ! Tu empestes l'alcool.

— C'est l'autre blaireau, comme tu dis, qui a fait tomber son verre sur moi. Je n'ai rien bu. Je ne bois jamais, tu le sais, non ?

Je ne savais pas si c'était sa façon de me regarder avec ses grands yeux pleins d'amour ou son sourire magnifique, mais quelque chose se passa. J'avais envie de l'embrasser et j'étais à nouveau frappé de plein fouet par les souvenirs d'Abby. Il fallait que je fuie, loin, très loin, car j'étais vraiment sur le point de foirer.

— Oui, ben, je n'en savais rien, grommelé-je. Je pensais que tu avais bu pour oublier ce que tu as appris ce soir.

— Tu ne me dois rien, Logan. Nous ne sommes pas ensemble. Et l'autre soir, il s'est bien passé des choses entre nous, mais tu ne m'as rien promis. Tu as été clair.

Sa compassion m'insupporta. J'avais de plus en plus envie de dépasser la limite que je m'étais fixé. Je reculai d'un pas. Elle me retint.

— Où tu vas ?

— Me saouler, lançai-je.

— Attends !

— Quoi, encore ?

Elle s'avança et apposa sa main sur mon avant-bras sans tenir compte de mon ton désagréable.

— Je ne t'en veux pas. Ça m'a blessée, oui. Mais je ne t'en veux vraiment pas. Tu es célibataire. Tu t'amuses, et c'est ton souhait. Je me contenterai de ce que tu me donneras.

Bon sang ! Il fallait qu'elle arrête d'être la parfaite réplique d'Abby, d'être si conciliante, de me pardonner mes moindres faits et gestes comme Abby le faisait. Je ne le méritais pas. Il fallait qu'elle cesse aussi de me regarder de cette manière. Je n'en pouvais plus. J'étais sur le point de laisser tomber toutes mes barrières.

Elle dut percevoir mon soudain abattement, car elle vint contre moi et, après avoir passé une main caressante sur ma joue, elle m'entoura de ses bras. Je la laissai faire et luttai encore contre mon envie de l'étreindre pour profiter de sa chaleur et de son contact. Je me forçai vraiment ou vainement. À ce stade, il s'agissait même d'un combat qui avait perdu tout son sens, puisque je ne savais plus contre quelle puissance je me battais : le désir de l'instant présent ou le souvenir ?

— Nos câlins me manquent, me dit-elle en relevant le menton et en le calant contre mon torse.

Je baissai la tête et trouvai son regard. Je me maudissais de ne pas pouvoir lui résister. Elle remarqua ma faiblesse. Elle savait que j'étais sur le point de craquer.

— Embrasse-moi.

Sa voix était fluette, tendre. J'abandonnai. Je voulais pourtant éviter tout ce que cela pourrait engendrer. La semaine d'avant, j'étais ivre, mais, ce soir-là, j'étais tout à fait conscient de ce que je faisais, et surtout de ce que je désirais. Je voulais ce baiser. J'avais même une irrésistible envie de lui faire l'amour. Je voulais tout simplement l'aimer comme j'avais pu aimer Abby.

Elle se redressa sur la pointe des pieds et vint sceller sa bouche à la mienne avec tant de douceur que je perdis rapidement pied. Je l'enlaçai à mon tour et la serrai le plus fort possible. Mon cœur s'emballa. Mon ventre se tordit. Mes veines s'enflammèrent et mes cellules vibrèrent aussi fort que les enceintes de cette boîte de nuit.

C'était en train de se passer, je t'avais retrouvée mon bébé, mon ange. Je ne voulais plus te perdre. Je ne voulais plus te lâcher. Je te promettais de faire plus attention à toi et d'arrêter de m'entêter pour rien. Je te désirais belle et heureuse. Je souhaitais enlever tout ce sang sur ton visage. Il n'avait plus rien à faire là. Tu m'aurais regardé, souri avec cette tendresse réconfortante dont toi seule étais capable et tu m'aurais dit que tout allait bien. On aurait continué notre route et on serait rentrés à la maison pour dormir l'un contre l'autre, parce qu'il ne pouvait en être autrement. Tu étais à moi pour l'éternité. Je le savais, c'était une évidence. Je t'aimais tant, mon amour.

— Logan ?

J'ouvris les yeux et me séparai de Sarah.

Kandy se tenait à côté de nous, le visage défait. J'inspirai et retrouvai peu à peu mes esprits. La chute dans la réalité était difficile et lente, mais je me secouai mentalement.

Je m'enquis.

— Qu'est-ce qu'il se passe ?

— Désolée de vous déranger, commença-t-elle, totalement paniquée. Marley a des ennuis. Je n'ai pas tout compris, mais un type est en train de s'en prendre à elle. Il est furieux et…

Je ne lui laissai pas le temps de poursuivre.

— Où est-elle ?

— Dehors. Sur le parking, il…

Je n'attendis pas une seconde de plus et m'y précipitai, vivement inquiet. Lorsque j'arrivai à l'extérieur, je balayai les environs du regard. Appuyée contre la portière de sa voiture, Marley tentait vainement d'écarter un homme. Ce type impressionnant par sa carrure la plaqua contre la carrosserie alors qu'elle se débattait avec hargne.

Je m'élançai et, à leur hauteur, j'agrippai l'épaule de ce mec pour le repousser.

— Eh, connard ! Laisse-la tranquille.

Tout se passa très vite. Il recula. Je profitai de sa surprise pour le charger et l'envoyer valser sur le bitume.

— Logan, arrête ! cria Marley.

J'étais prêt à lui mettre une droite et l'aplatir sur le sol, mais je me stoppai net.

— Bordel ! Mais c'est qui, ce type ? lâcha son agresseur que je tenais fermement par le col de son tee-shirt. C'est ton nouveau bouledogue ?

Mon poing en l'air et sur le point de frapper, j'hésitai. J'avais davantage l'impression de faire une connerie que d'aider. Je reportai mon regard égaré sur Marley en attente de son approbation, mais elle semblait être aussi perdue que moi.

Affolée, elle répondit :

— Un ami.

Je baissai ma garde et relâchai ma poigne. Il me bouscula et je me retrouvai assis par terre, la seconde d'après.

— Et vous, vous êtes qui ? dis-je, ahuri.

— Je suis son mari, abruti !

— Marley ?

— Oui, susurra-t-elle, embarrassée.

# CHAPITRE 6

Assis sur le bitume, je me redressai, abasourdi d'apprendre cette nouvelle. Je dévisageai Marley en attente d'une explication.

— Laisse-nous, me dit-elle.

J'abdiquai et me redressai, méfiant. Ce type ne me disait rien qui vaille. Je le détaillai de haut en bas et il en fit autant. On s'examina durant une éternité sans bouger ni l'un ni l'autre. Je finis par abandonner et retourner auprès de Kandy et Sarah qui, comme moi, étaient sorties, inquiètes, et qui n'étaient apparemment pas au courant de l'existence de cet homme.

Au final, la tension entre Marley et son soi-disant mari s'estompa. Ils échangèrent encore quelque joute verbale et le mec finit par s'en aller, un doigt menaçant pointé sur elle.

Cette dispute avait mis un terme à notre soirée. Nous étions rentrés à la maison et, avant de gagner le hall, j'interceptai Marley.

— Tu es mariée ?

— Oui, Logan, mais séparée.

— C'est lui qui te menace ?

Je me butai une fois de plus au mur épais qu'elle s'était construit. Elle ne répondit pas et m'échappa. Je jurai.

Quelques minutes plus tard, allongé sur mon lit et perdu dans le fil de mes pensées, je scrutai le plafond. Je repensais à cette altercation et au baiser échangé avec Sarah. J'étais conscient de faire n'importe quoi. J'étais émotionnellement instable. Je l'avais toujours été depuis le décès d'Abby, mais ces temps-ci, c'était de pire en pire. Je détestais l'effet que Sarah avait sur moi. Elle me troublait.

Je me levai et enfilai mon jean. De toute manière, je n'arriverais pas à dormir. Prêt à descendre au rez-de-chaussée pour boire une bière et sortir sur la plage, je m'arrêtai dans le couloir et observai les portes des chambres de Sarah et Marley. Elles étaient apparemment encore éveillées vu les halos de lumières diffusés sous leurs portes. Je fis un pas quand Kandy sortit de sa chambre, légèrement vêtue, les cheveux en bataille et la mine ensommeillée. Elle marqua un temps d'arrêt et me détailla. Son visage se fendit alors d'un large sourire. Elle reprit sa marche et, tout en passant à mes côtés, elle me tapota l'épaule.

— Si tu veux une bonne baise hargneuse : choisis Marley ; si c'est plutôt la tendresse qui te fait bander : choisis Sarah.

Elle se hissa sur la pointe des pieds et apposa un baiser sur ma joue.

— Bonne nuit et éclate-toi bien, ajouta-t-elle avant de rejoindre les toilettes.

Je ris, dépité par sa raillerie.

Dans la cuisine, je me servis une bière et filai sur la terrasse pour profiter du clair de lune. Je m'assis sur une marche, les pieds dans le sable et fixai l'horizon tout en faisant le vide dans mon esprit.

— Toi non plus, tu n'arrives pas à dormir ?

Je me retournai. Emmitouflée dans un plaid, Sarah s'avança vers moi. Elle descendit les escaliers et s'assit à mes côtés.

— Non. Je ne trouve pas le sommeil.

— Qu'est-ce qui t'arrive ?

Elle faisait partie intégrante de mon insomnie, sauf que je ne pouvais pas le lui dire. J'avais envie de me laisser aller avec elle. J'avais envie d'apprendre à la connaître et même d'aller plus loin. Mais je me l'interdisais. Je pensais n'être pas encore prêt.

— Rien de grave. Et toi ?

Elle haussa les épaules.

— Je ne sais pas.

— Tu ne vas pas arriver à te lever demain matin pour prendre ton service, dis-je.

— C'est mon jour de repos, demain.

— Ah ! Oui. C'est vrai.

Après un instant de silence, elle me demanda.

— Tu as été froid et distant tout à l'heure, après…

Comme à son habitude, elle ne finit pas sa phrase, bien trop gênée, mais, comme toujours aussi, je compris où elle voulait en venir.

— Ce n'était pas contre toi. J'ai voulu ce baiser. Ne t'inquiète pas.

Pour appuyer mes paroles, je passai mon bras sur ses épaules et l'attirai contre moi. Je m'étais effectivement montré froid et distant en rentrant. Mais j'étais tout simplement très inquiet pour Marley.

— Logan ?

— Hum ?

— Tu es déjà tombé amoureux ?

Je ris sans joie et ravalai tout ce que cette question réveillait en moi. Des souvenirs. Ces foutus sentiments qui me pourrissaient la vie depuis deux ans.

— Et toi ? demandai-je pour me donner le temps de trouver quelque chose à dire.

Elle hocha la tête, puis insista en relevant le visage afin de croiser mon regard.

— Alors ?

Je souris.

— Je ne suis pas sans cœur, Sarah.

— Je n'ai pas dit ça, rétorqua-t-elle en me rendant mon sourire.

Elle reprit place contre mon épaule et poursuivit en tirant sa propre conclusion.

— Comment s'appelait-elle ?

Je fermai les yeux et plissai les paupières en maudissant les quatre lettres qui se diffusaient en boucle dans ma tête. Elle s'appelait Abby. Elle était mon tout. Ma vie. Elle est morte parce que j'ai eu une absence de quelques secondes. Elle a quitté mes bras parce que, la nuit avant l'accident, je n'avais pas dormi et fait la fête avec mes potes. Voilà, Sarah ! Et tu lui ressembles tellement et à tant de points de vue que c'en est insupportable de te regarder, mais paradoxalement, je ne peux m'en empêcher.

— Logan ? Ça va ?

J'ouvris à nouveau les yeux en sentant son souffle m'effleurer le visage. Sa main vint se poser sur mon cou et glissa sur ma nuque. Elle inséra doucement ses doigts dans mes cheveux et m'attira à elle. Je fronçai les sourcils et soupirai son prénom. Je devais l'en empêcher. Je savais que je ne pourrais pas m'arrêter. Ce manque, ce vide qui me tuait à petit feu s'apaisait à son contact, et c'était pour cela que j'étais en constante demande de sa présence. Elle le comblait.

Posant lentement ses lèvres contre les miennes, elle susurra :

— Une dernière fois… s'il te plaît.

Lâchement, je me laissai aller. J'entrouvris la bouche pour accueillir sa langue. Je ne fermai pas les yeux, refusant de m'abandonner au flot de sentiments qui menaçait de me submerger. Je voulais être lucide. Je voulais voir Sarah, et non ton fantôme, Abby.

Je n'y parvins pas.

Je pensais à toi, à mon bébé, et j'étais consterné. Je ne voulais pas te tromper et te supplier de me laisser aimer une autre personne. Je t'avais promis mon amour éternel. Je voulais redevenir l'homme heureux que j'étais avant ton départ. Celui que j'étais contre toi, avec toi. Je voulais que tu me donnes ce droit. J'en avais besoin pour survivre. J'essayais de vivre, vraiment, j'essayais. Je tentais aussi de rendre hommage à ton ombre qui me suivait, chaque jour, sans blesser personne. Qu'aurais-tu pensé de tout ça ? Que penses-tu de ça ? Je voulais un signe, j'attendais ton accord.

Et toi, Sarah, je voulais que tu m'aimes. Que tu aimes l'homme qui t'embrassait, même s'il n'était qu'une carapace démunie de bon sens. Une coquille vide. Un être dépourvu de cœur, puisqu'il l'avait enterré bien loin d'ici. Je l'avais jeté avec cette poignée de terre le jour où je m'étais penché sur ton cercueil, Abby.

Je voulais que tu me le rendes.

Sarah gémit et ce son se répercuta en moi comme un écho. Emporté par le désir, je la basculai sur les marches et enfouis mes mains dans ses cheveux en lui donnant le plus désespéré des baisers. Mon corps se réveilla, laissant mon esprit sombrer. J'avais envie d'elle. J'avais besoin de la sentir, de la toucher. Je quittai sa bouche et me redressai, décidé à lui faire l'amour. Je passai ensuite mes bras sous son dos et ses genoux pour la soulever. Elle s'accrocha à mon cou et m'embrassa à nouveau. Je marchai à l'aveugle dans le sable sur quelques mètres jusqu'à m'arrêter et la déposer sur ses pieds entre deux dunes contre la maison.

— Donne-moi le plaid, s'il te plaît.

Elle s'exécuta timidement. Vêtue d'un débardeur et d'une simple culotte, elle était parfaite. Son corps et ses courbes étaient d'une sensualité et d'une finesse à couper le souffle.

J'étendis la couverture sur le sable et revins l'embrasser. Je lui ôtai son haut, me laissant libre accès à sa poitrine nue. Je descendis mes lèvres sur ses seins et lui suçotai un à un ses tétons dressés. Elle s'arqua légèrement en arrière en lâchant de petits gémissements contenus. Je reculai et m'allongeai sur le plaid en lui tendant une main pour qu'elle me rejoigne. Elle hésita en dissimulant pudiquement sa poitrine.

Je souris et lui enserrai un poignet.

— Tu es magnifique, ne te cache pas, l'incitai-je.

Elle obtempéra, mais quelque chose ne passait pas. Je le voyais bien.

— Tu veux… ici ? Tu ne veux pas… en haut ? demanda-t-elle en prenant place sur la couverture.

— Nous sommes bien, ici, il n'y a personne, la rassurai-je. Dans le pire des cas, on risque juste de se faire surprendre par un animal nocturne.

Je passai à nouveau mes mains dans ses cheveux et les glissai sur ses joues tout en lui donnant le même baiser fougueux, puis, impatient, je la penchai pour l'allonger. Je ressentis encore une réticence.

— Ne t'inquiète pas, insistai-je contre ses lèvres. La plage est déserte et les filles doivent dormir.

De ses mains contre mon torse, elle me repoussa légèrement.

— Ce n'est pas ça.

Je reculai le buste et l'interrogeai du regard. Elle baissa les yeux, mal à l'aise, alors je plissai les paupières.

— Qu'est-ce qu'il y a, Sarah ?

— Je… Je n'ai jamais fait l'amour, Logan, me lança-t-elle. J'ai… j'ai fait des préliminaires, mais je ne suis jamais allée plus loin.

— Oh ! prononçai-je, abasourdi.

— Ça te dérange ?

J'assimilai.

— Non… Bien sûr que non.

Je rassemblai les pièces du puzzle dans ma tête et encaissai la nouvelle.

— Et… et tu veux que ce soit moi qui te prenne ta virginité ?!

Elle hocha légèrement la tête tandis qu''une foule de questions affluait dans mon esprit.

— Pourquoi ?

— Parce que tu me plais et que tu es quelqu'un de bien.

Ce n'était pas vraiment la bonne réponse. Cela dit, je m'en contentai sur le moment.

— Tu as quel âge ?

— Vingt et un ans.

Je la fixai, perplexe.

— Tu prends une contraception ?

Elle hocha encore la tête, puis, de ses mains sur mon visage, m'attira à elle pour m'embrasser. En gémissant, elle entrouvrit ses lèvres pour me livrer entièrement sa bouche. J'étais hésitant. Ce point que j'ignorais totalement me rendait nerveux. La dépuceler ne me dérangeait pas, c'était la suite qui ne m'enchantait guère.

— Sarah, attends ! Es-tu certaine de souhaiter faire ça avec moi ? Je veux dire : c'est un événement important dans une vie, et on n'est pas ensemble. Tu sais que je ne souhaite pas me mettre en couple. Je ne voudrais pas te donner de faux espoirs. Demain ou après-demain ou n'importe quand, je risque de coucher avec une autre fille, tu comprends ?

— Avec Marley ? me balança-t-elle, le regard foudroyant.

J'étais tout à coup confus.

— Oui !… Non ! Je n'en sais rien, n'importe qui.

— Je suis quand même certaine de le vouloir, dit-elle tout bas et visiblement froissée.

J'étais en train de faire une connerie monumentale, je le savais. J'aurais mieux fait de tout arrêter, mais j'en avais vraiment envie. La passion et la peur que je percevais dans ses yeux m'excitaient. Je n'étais qu'un homme désirant une belle femme prête à se donner à lui, corps et âme. J'allais être son premier et, bien malgré moi, je ressentais une sorte de fierté. Ce sentiment ridicule qu'un mec ne peut s'empêcher d'avoir dans ce genre de situation. Je resterais à jamais celui qui lui aura ouvert la porte de la jouissance.

Convaincu que ce n'était finalement pas la fin du monde, j'explorai à nouveau sa bouche et ma main descendit le long de son corps. Sa peau douce et laiteuse me faisait frémir. Je me cramponnai à ses fesses et la ramenai contre mon érection toujours emprisonnée dans mon jean. Je ne savais pas si j'allais être capable de douceur tant je la désirais. Je continuai à l'embrasser en lui caressant les cuisses, puis remontant jusqu'à ses petits seins parfaitement moulés à ma paume. Elle se contenta de passer ses mains dans mes cheveux, puis sur ma nuque. Je quittai sa bouche et parcourus son cou de baisers. Je repris à nouveau un de ses tétons entre mes lèvres. Elle se cambra et gémit. Je le titillai jusqu'à le rendre si dur et si sensible qu'elle en bascula la tête en arrière et retint un cri. Je sillonnai de mes doigts son ventre et les enfouis sous sa culotte. Elle se crispa.

Je rivai alors mon regard au sien.

— Ça va ?

Elle hocha la tête.

— Détends-toi, ajoutai-je doucement.

Je poursuivis quand son corps se relâcha. Je me mis à exciter son clitoris, puis je glissai un doigt entre ses lèvres intimes et plongeai lentement en elle de peur de lui faire mal. Elle ferma les yeux en fronçant les paupières et poussa un cri à peine audible. Il fallait vraiment qu'elle se détende. Ceci dit, elle mouillait déjà beaucoup et ma queue n'en était que plus impatiente. Elle était brûlante, étroite et trempée. Ça me rendait fou, mais je maîtrisais mes pulsions. Lorsque je la sentis davantage décontractée, j'enfouis un deuxième doigt. Elle s'arqua et les mouvements de son corps adoptèrent peu à peu le rythme de ma main qui allait et venait en elle.

— Bien, dis-je en la sentant presque prête à me recevoir.

Je retirai ma main et gouttai sa délicieuse excitation sous son regard intrigué. Je lui souris et ses yeux brillèrent. Je me redressai, lui ôtai son sous-vêtement et réservai le même sort aux miens, jean et boxer. Je pris mon portefeuille pour dénicher une protection et la lui tendis après avoir déchiré l'enveloppe.

— Tu veux le mettre ?

Elle s'en saisit, hésitante. Je me calai entre ses jambes. Aussitôt son regard étincelant se posa sur mon pénis fièrement dressé. Elle se mordit une lèvre et son front se barra d'inquiétude ou d'appréhension.

Amusé par sa réaction, je l'apaisai au mieux avant de l'aider.

— Ne t'inquiète pas.

Je me plaçai ensuite de façon à pouvoir la pénétrer à mon gré, mon gland calé entre ses lèvres et m'accoudai de part et d'autre de sa tête.

— Si je te fais mal, tu me le dis et j'arrêterai, O.K.?

Elle me donna son accord et déglutit vivement en crispant ses doigts sur mes épaules.

Lentement, je poussai. Elle s'ouvrit doucement à moi et… *putain !* Je me fis violence pour ne pas la prendre d'un coup et remuer à ma guise. Ses ongles s'enfoncèrent dans ma chair lorsque je la pénétrai entièrement.

— Ça va toujours ?

— Oui, gémit-elle.

Je commençai à me mouvoir avec beaucoup de lenteur, et la sensation était exquise tant son étroitesse m'absorbait et m'enserrait. Je me retirai et m'enfonçai à nouveau. Je continuai encore et encore en imprimant à mes hanches un rythme plus soutenu.

— Lâche-toi, laisse-toi aller, lui susurrai-je à l'oreille.

Je perçus qu'elle ne s'abandonnait pas totalement et luttait contre ses sensations. Je poursuivis. Il me fallut peu de temps pour être sur la pente raide, mais je voulais qu'elle jouisse. Je ne voulais pas arrêter avant. Plus mes coups s'intensifiaient, plus elle semblait les chercher. Je n'en pouvais plus. Je sentais les premiers signes de l'orgasme se propager dans mon bas-ventre. Je ralentis. Elle gémit et m'incita à reprendre la même cadence. Je n'étais pas un surhomme, mais je sentais qu'elle se contractait autour de ma queue, alors je pris sur moi. C'était un supplice tant c'était divin. Elle était proche. Elle y était. Elle allait jouir. Elle se figea et s'embrasa en renversant la tête, ce qui suffit à me faire exploser.

Haletant et tremblant, je basculai à mon tour la tête en arrière, tout en savourant ma jouissance qui s'apaisait peu à peu. J'ouvris les yeux et les levai en l'air, attiré par un mouvement.

Sidéré, je m'immobilisai et fixai la fenêtre de la chambre de Marley. Derrière le rideau, elle nous observait. Nos regards se croisèrent et je ne perçus aucune expression sur son visage, ni surprise ni colère et encore moins de la gêne. Ses traits étaient impassibles, presque éteints.

Elle recula et disparut dans l'obscurité de la pièce, me laissant totalement hagard.

# CHAPITRE 7

Le lendemain, je me réveillai sur les images de Marley en train de nous observer. Sarah n'avait rien remarqué. Et dans un sens, il valait mieux. Elle serait partie en courant après s'être décomposée sur place. Cette pensée me fit sourire comme un idiot. Après notre rapport d'hier soir, j'avais remis les choses au clair. Je ne voulais pas me mettre en couple, et ce qu'il s'était passé entre nous ne devait plus se reproduire. Elle avait accepté et, sans broncher, elle avait rejoint sa chambre.

Ce matin-là, quand je mis un pied dans la cuisine, Marley buvait son café en face de Sarah. Le silence régnait dans la pièce, et mon arrivée ne provoqua aucune réaction.

— Salut, dis-je en me dirigeant vers le placard.

Je pris une tasse et me servit un café sans que personne ne me réponde. Je me retournai vers la table et m'appuyai contre le plan de travail en espérant capter le regard de Sarah. Sa façon de se comporter aurait pu m'indiquer si elles avaient parlé ensemble des événements d'hier soir. J'étais certain que sa gêne se remarquerait, si c'était le cas.

Je ne perçus rien à part le tendre et doux sourire qu'elle me lança. Marley choisit d'ailleurs ce moment pour lever le nez de son magazine et regarder Sarah. Elle trouva ensuite mon regard et leva les yeux au ciel en secouant la tête, dépitée. Elle semblait trouver notre échange de sourires ridicule. Peu m'importait. Je n'avais pas à me préoccuper de son avis. J'étais majeur et vacciné. Mes actes ne concernaient que moi.

— Je vous laisse. Bonne journée, nous lança froidement Marley tout en quittant sa chaise.

Je la suivis du regard et, lorsqu'elle disparut dans le couloir, je pris sa place.

— Elle est encore de très mauvaise humeur, ce matin, m'expliqua Sarah. Elle ne m'a pas décroché un mot.

— Ouais, elle n'a pas l'air dans son assiette.

Je glissai mon bras sur la table et lui attrapai la main pour la lui caresser.

Mais, ne vous méprenez pas, ce geste était purement amical.

— Et toi, ça va ?

— Oui, parfaitement bien, me répondit-elle.

— Tu n'as pas eu mal quelque part ?

Elle baissa les yeux sur sa tasse et ses joues rougirent avant qu'elle ne secoue la tête. Je lâchai sa main et lui pinçai le menton entre mon pouce et mon index pour lui relever le visage.

— Hé, poupée ? N'aie pas honte de parler de ça. Surtout avec moi, d'accord ?

Elle sourit et ses pommettes rougirent de plus belle.

— J'aimerais le refaire, me balança-t-elle tout à coup.

Je reculai ma chaise et la dévisageai. Je n'avais apparemment pas été assez clair. Je devais immédiatement remettre les pendules à l'heure.

— Non. Attends, Logan, ne te braque pas ! Je ne veux pas me mettre avec toi. J'ai compris que tu irais voir d'autres filles, etc., mais j'aimerais vraiment le refaire encore. J'aimerais que tu m'apprennes à être meilleure, que tu me montres d'autres choses.

Était-elle vraiment en train de me demander de devenir son professeur ou son coach sexuel ?

— Tu as été parfaite hier, la rassurai-je.

— J'ai tant à apprendre encore.

— Tu apprendras avec le temps et l'expérience. Tu n'as que vingt et un ans.

— Je veux que tu me donnes cette expérience, rétorqua-t-elle.

— Pourquoi moi ? Il y a plein d'autres types.

— Parce que j'ai confiance en toi, murmura-t-elle.

— Écoute, Sarah, on verra. Je vais y réfléchir…

Je n'avais pas fini de parler que mon téléphone sonna. Je le sortis de la poche de mon short et pris l'appel de mon frère en quittant ma place.

— Ouais, frangin ! dis-je en m'avançant vers le salon.

— Ouais, gros ! Dis-moi, t'aurais une piaule où crécher pendant deux-trois jours ?

— Quoi ? Tu es à L.A. ? m'étonnai-je.

— Pas encore, mais j'aimerais venir.

— Qu'est-ce que t'as fait comme connerie encore?

Je le connaissais par cœur. S'il tentait de fuir mes parents, c'est que quelque chose clochait.

— Euh, bah, disons que ça ne passe pas crème avec les darons en ce moment. J'ai besoin de souffler, tu vois le genre ?

— Je ne sais pas, écoute. Je ne suis pas chez moi. Je dois demander à la proprio avant.

— Wesh, gros, t'inquiète, j'attends.

Je posai mon Smartphone sur la commode contre le canapé et partis à la recherche de Marley tout en espérant qu'elle ne soit pas partie au bar aider Kandy. Je finis par la trouver dans son bureau.

Je frappai contre la porte entrouverte.

— Oui. Rentre, m'invita-t-elle.

— Désolé de te déranger, mais je suis en ligne avec mon petit frère, et j'aimerais savoir si cela ne poserait pas de problème s'il venait passer deux ou trois jours ici ?

Elle releva le nez de derrière son ordinateur portable et arqua un sourcil en posant son regard sur moi.

— Génial ! Bonne idée, Sarah en aura deux pour le prix d'un, me lança-t-elle le plus sérieusement du monde avec une pointe d'amertume dans la voix. Ça ne me pose aucun problème.

Atterré par sa remarque, je refermai la porte derrière moi. Elle ne me quitta pas des yeux et je pus physiquement ressentir son irritation.

— Marley... ça te blesse que j'aie couché avec Sarah ?

— Pas le moins du monde. Je me fiche bien que tu aies couché avec la gentille petite Sarah. Mais tu aurais pu éviter de le faire sous ma fenêtre. Même si je dois admettre que le spectacle était plutôt agréable. Tu as un somptueux déhanché, Logan. Bravo !

Son air totalement détaché me perturba, parce qu'il ne sonnait absolument pas avec ses dires.

— Qu'est-ce qu'il t'arrive ? C'est moi, le souci ? Tu veux que je m'en aille et trouve un autre endroit pour loger le temps que je finisse mon contrat au bar ?

— Merci de m'avoir prévenue pour ton frère. Maintenant, laisse-moi, j'attends un coup de fil, se déroba-t-elle sèchement.

Je soupirai, abandonnant une nouvelle fois. Je fis demi-tour et, lorsque j'ouvris la porte, elle me rappela.

— Logan ?

Je me tournai.

— Désolée, je me sens un peu surmenée, ces temps-ci.

— Si tu veux en parler, tu sais où me trouver.

— Merci.

Quelque chose se refléta subrepticement dans son regard. J'y perçus comme une lueur de détresse. Un mal-être profond. J'avais comme l'impression qu'elle cherchait à se sortir d'une très mauvaise passe. Je captais à haute fréquence son envie de crier, voire même de hurler, mais elle en était incapable. Quelque chose l'en empêchait. Cependant, en son for intérieur, c'était ce qu'il se passait. J'en étais conscient puisque je l'avais vécu. Je me revis devant le miroir de cet hôpital juste après l'annonce de la mort d'Abby. Je voulais crier ma peine, la hurler en espérant que cela me soulage, en espérant qu'elle déserte mon corps. Mais rien ne voulait sortir, à part des sanglots, des spasmes de douleur et des larmes incessantes. C'était les prémices de ce vide qui, paradoxalement, remplissait mon âme. Je me noyais peu à peu dans des eaux troubles, sombres et profondes avec cet étrange besoin de cesser de lutter pour m'en sortir. Les fonds m'appelaient comme l'auraient fait des sirènes tentant de charmer un marin par leurs chants mélodieux. C'était quelque chose de sombre, mais d'attirant. Je m'enfonçais sans plus apercevoir de lumière. J'avais finalement arrêté de me battre et j'avais fini par couler à pic jusqu'à ce que l'on me repêche inanimé sur une barque percée. Elle aussi, en passe de sombrer à tout moment.

Le regard de Marley me remémora cette sensation. Mais si elle refusait mon aide, que pouvais-je pour elle ?

Rien.

# CHAPITRE 8

Vous allez sûrement me traiter d'idiot, me dire que je suis un véritable imbécile, un enfoiré ! J'avoue ! J'admets ! Je plaide coupable ! Mais si vous saviez à quel point j'aimais que ses mains se baladent sur mon caleçon, à quel point j'aimais qu'elle presse ses petits doigts frêles sur ma queue, que son inexpérience me faisait bander, vous comprendrez que je n'étais que la victime, dans cette histoire…

Ce matin-là, je devais partir bosser une petite demi-heure plus tard. Je m'étais attardé sur le canapé après m'être douché. Sarah m'avait rejoint et s'était blottie contre moi pour notre habituel câlin devant la télé. Elle avait enfoui sa main sous mon tee-shirt pour me caresser le ventre. Je l'avais repoussée. Oui, je vous le promets ! J'avais lutté… Elle avait insisté. Je m'étais finalement laissé faire. Oui, j'étais faible.

Ses doigts s'étaient engouffrés dans mon jean et je m'étais enflammé.

— Viens, dis-je en me levant du sofa. Suis-moi.

— Où ?

J'empruntai les escaliers.

— Tu veux que je t'apprenne et te donne de l'expérience, alors, suis-moi dans ma chambre. Il me reste un peu de temps avant de prendre mon service.

Elle me suivit sans rechigner, un large sourire collé à son visage. Elle me voulait et je la voulais. Parfait. C'était passer outre mes principes, certes ! Or, ces derniers temps, ils avaient volé en éclats. Je vais m'en trouver de nouveau. Une *sexfriend* ? Ce n'était pas mal, ça ? Ou alors une *sexstudent* ? Le terme n'existait peut-être pas, mais pourquoi ne pas innover ?

J'ouvris la porte, la refermai et m'y adossai en observant Sarah. Elle s'arrêta au milieu de la pièce et pivota pour me faire face. J'encaissai une nouvelle fois sa ressemblance avec Abby, et c'était peu dire que cela mettait du piquant à mon excitation.

Puis n'ayant pas vraiment le temps de m'attarder sur la théorie, j'attaquai directement la pratique.

— Tu as déjà fait une fellation ?

Elle se mordilla une lèvre et, tout en se dandinant d'un pied à l'autre, elle m'avoua.

— Non.

— Tu veux essayer ? lui proposai-je, m'assurant de son consentement.

Elle hocha lentement la tête et se dirigea vers moi tandis que je baissai d'un seul et même mouvement mon pantalon et mon boxer. J'adorais la façon dont elle me regardait avec cette étincelle de peur et de désir mélangés.

Sans perdre de temps, elle enroula sa main autour de ma queue et s'agenouilla.

— Tu veux aller jusqu'au bout ?

Elle releva la tête.

— C'est-à-dire ?

Je souris et, d'humeur taquine, je n'y allai pas par quatre chemins.

— Tu veux avaler ou non ?

— Oh ! Euh…

— Tu n'es pas obligée.

— Je veux bien essayer.

Hésitante, elle commença à me prodiguer de lents va-et-vient. Peu expérimentée, elle n'y mettait pas assez de poigne, alors je lui entourai les doigts pour lui montrer le rythme et la puissance à adopter. Ce qu'elle finit par faire parfaitement. Lorsqu'elle fut prête à me prendre en bouche, je lui passai ses cheveux sur un côté et les lui maintins. Je pensai ne pas tenir le choc quand ses lèvres chaudes et humides glissèrent le long de ma verge et qu'elle releva ses yeux de biche sur moi. Elle manquait d'expérience et ne se servait pas de sa langue, mais à vrai dire, ce n'était pas bien grave, la voir agenouillée devant moi ma queue en bouche était en soi un orgasme visuel. Les petits bruits qu'elle émettait étaient à se damner. Je basculai la tête en arrière et l'appuyai contre la porte. Je fermai les yeux et râlai de plaisir tant c'était un putain de régal. Elle poursuivit, accélérant la cadence pour me faire jouir. J'étais au bord du gouffre. Je la prévins au cas où elle aurait changé d'avis, mais elle continua sans broncher. L'extase se propagea dans mon bas-ventre jusqu'à grimper ensuite le long de ma colonne vertébrale. Au moment où la pression lâcha, des frissons s'emparèrent de ma nuque et de mon crâne pour enfin disparaître peu à peu.

Satisfait, j'ouvris les paupières et m'assurai que ma petite ingénue avait supporté sa première fois. Je m'inquiétais pour rien, puisque le sourire qu'elle m'offrit m'indiqua que tout allait bien. Elle se redressa et se colla contre moi. Je ne sus pas ce qui me prit, cela dit, je l'embrassai. Oui, c'était bien moi qui allait chercher sa bouche, désireux de goûter sa salive mélangée à la saveur salée de mon sperme. J'aurais pu me contenter de cette fellation, de lui rendre la pareille et de filer au bar. Mais NON ! Cette satanée pulsion de la vouloir contre moi, me faisait faire n'importe quoi.

Comment aurais-je pu lui demander de se satisfaire d'une relation éphémère si moi-même je n'y arrivais pas ?

— Ça a été ? me demanda-t-elle timidement lorsque je quittai ses lèvres, un peu perdu.

Je me décalai.

— Parfait.

— Bon sang, je vais être à la bourre. Désolé, je t'aurais bien remerciée en te rendant la pareille, mais je dois vraiment filer.

Elle haussa les épaules.

— Ce n'est pas grave, une prochaine fois, minauda-t-elle.

Je lâchai sans même réfléchir.

— Ce soir ?

Son visage s'illumina comme je ne l'avais encore jamais vu.

— Avec plaisir.

Eh merde, Logan ! Ne jamais faire de promesse… ! Tu te rappelles ?

Je me rhabillai, ouvris la porte et tombai nez à nez avec Kandy. Elle passa son regard rieur sur chacun de nous et ne put s'empêcher de commenter.

— J'aurais vraiment pensé que tu choisirais Marley. Je me suis plantée. Bonne fin de journée, les amis.

J'aurais pu mettre ma main à couper qu'elle allait nous sortir un truc du genre. Sur cette parole, elle s'en alla en chantonnant joyeusement. Aussitôt, je me souciai de Sarah et me demandai comment elle avait pris la remarque de Kandy. Apparemment, elle ne l'avait pas mal pris. Elle semblait toujours sur son petit nuage, un sourire jusqu'aux oreilles.

Je finis par filer une bonne fois pour toutes au bar où je pris le poste derrière le comptoir tandis que Marley s'occupait du service en terrasse. Ce soir-là, nos rapports étaient plus légers et davantage naturels.

— Hey ! Sexy boy, tu me files deux pressions, s'il te plaît ?

Je pris les verres et m'exécutai. Attendant les consommations, elle s'assit en face de moi.

— Sexy boy ? dis-je étonné. Tu as retrouvé ta bonne humeur ?

Tout sourire, elle m'annonça fièrement.

— Tu vois le mec, là-bas ?

Je jetai un coup d'œil curieux sur la personne qu'elle me montrait. Un mec d'une quarantaine d'années, cheveux poivre et sel et élégant sur lui.

— C'est dans la poche, si tu vois ce que je veux dire, ajouta-t-elle.

— Tu n'as pas un mari ?

Je savais pertinemment bien que ma réplique allait l'agacer, mais peu importe, je voulais en savoir davantage sur son histoire. Elle me réprimanda du regard.

— Bien essayé, Logan, mais ce ne sont…

— … Pas mes affaires, je sais.

J'esquissai un large sourire et me contentai de cette réponse en me disant que je devais y aller avec des pincettes si je voulais percer sa carapace.

— Bon et donc, ajoutai-je, le type là-bas t'intéresse ?

Elle se mordit une lèvre et papillonna des cils.

— Mmm, tu verrais ses yeux et ses mains…

— Il a l'air plutôt banal, d'ici.

Je mis les deux bières sur son plateau et lui sortis la note.

— D'ailleurs, j'aurais un service à te demander, dit-elle sans bouger de sa place.

— Hum ? Je t'écoute.

— Tu n'aurais pas un préservatif sur toi au cas où ?

Je ris. Aigrement, mais je ris.

— Si.

Je plongeai ma main dans ma poche arrière pour en extraire mon portefeuille.

— Merde, jurai-je en faisant tomber quelques pièces de monnaie sur le sol.

Je posai mon portefeuille et me penchai pour les récupérer. Lorsque je me redressai, je me figeai. Les yeux écarquillés, Marley scrutait la photo et la bague qui ne me quittaient jamais. Je m'élançai pour récupérer mon portefeuille, mais elle me devança en l'attrapant.

— Marley, rends-moi ça tout de suite, s'il te plaît.

— Hum… Je vois que je ne suis pas la seule à avoir des petits secrets. Mais qui est cette jolie demoiselle ? Bizarre… ! Elle me fait penser à quelqu'un… Oh ! Mais suis-je bête ! Nous avons une parfaite copie de cette poupée Barbie à la maison. Intéressant… Tu m'expliques ?

— Rends-le-moi.

Elle secoua la tête en claquant sa langue contre son palais, amusée. Je pris alors une profonde inspiration afin de calmer la colère qui menaçait d'éclater.

— Tu me lâches une info avant, persista-t-elle.

J'aurais pu lui dire qu'elle était morte, et cela lui aurait cloué le bec. Elle se serait tue et aurait ravalé son foutu sourire. Mais j'en étais incapable. Tout ce que j'étais susceptible d'évacuer était cette montée de rage et ce soudain excès de violence.

— Bordel de merde ! Rends-moi ce putain de portefeuille, Marley ! criai-je en envoyant valser les deux verres contre le mur derrière moi.

Surprise, elle se délogea d'un bond de sa place, puis recula. Mon geste imposa silence et stupéfaction autour de nous. Je fis le tour du comptoir pour venir récupérer mes affaires. Mais je fus aussitôt arrêté par le type que Marley voulait baiser.

— Calme-toi, mec, osa-t-il me dire.

Sans prévenir, je lui envoyai une droite en plein menton. Cet abruti n'avait qu'à pas se mettre en travers de ma route. Il tomba en arrière et percuta la porte de la réserve de plein fouet.

— Logan ! hurla Marley.

Furieux, je m'avançai vers elle et lui tendis le bras en articulant lentement chaque syllabe.

— Rends-le-moi-de-sui-te !

Elle obtempéra, craintive.

— Dégage, siffla-t-elle ensuite, le regard noir.

— Tu n'avais pas à…

— Dégage ! vociféra-t-elle.

Le rythme cardiaque affolé et les nerfs à vif, je regagnai la maison. Je croisai Kandy dans le hall. Elle me parla, mais je ne l'écoutai pas et me dirigeai directement à l'étage. Je claquai la porte de ma chambre, mais même cela ne me soulagea pas. Je fis les cent pas et finis par m'assoir sur le bord du lit, totalement abattu. Je me pris ma tête entre les mains et me maudis. J'avais envie de chialer comme un gosse. Sauf que, depuis l'enterrement d'Abby, plus aucune larme n'avait coulé.

— Logan ?

Avec toute la discrétion dont elle était capable, Sarah apparut doucement dans la pièce.

— Ça ne va pas ?

— Laisse-moi, s'il te plaît, la priai-je.

— Tu…

Son téléphone sonna, elle se tut et décrocha. Je compris qu'il s'agissait de Marley. Elle lui demandait de venir me remplacer.

— Ça ira ? se soucia-t-elle en raccrochant. Je dois rejoindre Marley.

Je hochai la tête. Elle s'en alla, le visage tiré d'inquiétude. Je me laissai tomber en arrière sur le matelas. Dix milliards de choses se passèrent dans mon esprit. Je m'en voulais. J'avais agi comme un idiot. La culpabilité s'empara de moi. C'était un sentiment que je connaissais par cœur et qui faisait partie intégrante de ma vie, même si j'essayais souvent de le dissimuler.

La sonnette de la porte d'entrée retentit à cet instant-là. Une fois, deux fois.

— Kandy, va ouvrir, m'écriai-je.

Une troisième fois.

*Putain… !*

Je me levai, sortis de ma chambre. J'entendis l'eau de la douche s'écouler alors je gagnai le rez-de-chaussée. Deux types en uniforme patientaient sur le perron. L'un deux me tendit sa plaque.

— Police, nous souhaitons parler à Madame Marley Kurt, s'il vous plaît.

*Sans déconner ? J'avais bien vu que ce n'était pas le facteur !*

— Je ne connais qu'une Marley Hopkins, dis-je.

— Est-elle là ? s'impatienta le second officier.

— C'est à quel sujet ?

— Écoutez, Monsieur, s'agaça le plus nerveux des deux. C'est confidentiel et urgent. Veuillez nous indiquer où se trouve Madame Kurt… ou Hopkins, comme vous voulez.

J'abdiquai, même si ma curiosité était piquée à vif.

— À côté. Au bar. Elle travaille.

— Merci.

Ils s'en allèrent sans plus d'explication, ce qui me laissa perplexe. Je refermai la porte, suspicieux, et pivotai, prêt à retourner à l'étage.

Vêtue d'une simple serviette et les cheveux dégoulinant d'eau, Kandy dévala les marches des escaliers, puis s'arrêta à mi-chemin.

— C'était qui ?

— La police.

— Sérieux !?

— Oui.

— Qu'est-ce qu'ils voulaient ?

— Voir Marley.

— Oh ! prononça-t-elle, presque soulagée.

C'est d'ailleurs ce qui me fit rire malgré moi.

— Pourquoi tu as l'air si soulagée ? Tu as quelque chose à te reprocher ?

— Non. Non.

Elle fit demi-tour et regagna l'étage.

# CHAPITRE 9

Finalement, Marley ne m'a pas licencié. J'étais retourné travailler le lendemain et encore le jour d'après ainsi que la veille de ce jour-ci, comme si de rien n'était. Nous ne nous adressions simplement plus la parole en dehors du service. Nous nous évitions à la maison. J'aurais dû partir de moi-même pour que les filles profitent d'une meilleure ambiance, mais quelque chose me retenait ici. Je n'arrivais pas à fuir. J'étais bien dans ce coin. Il y avait tout : la plage, le surf, de jolies filles et des possibilités infinies de faire la fête quand on voulait et où on voulait. De tous les lieux où j'avais mis les pieds ces derniers mois, c'était le premier où je pouvais affirmer me sentir bien.

Quant à Sarah et moi, nous avions recouché ensemble. J'essayais toutefois de garder quelques limites. Nous n'étions pas un couple et je voulais que cela reste comme cela. Sauf que, la veille, j'avais merdé puisque je me réveillai avec de longs cheveux blonds me chatouillant le visage et un bras engourdi par le poids de Sarah qui me bavait sur l'épaule.

*Eh merde… !*

Je m'étais endormi comme une masse après une bonne baise et quelques bières. Elle s'était surpassée. Elle était très douée pour une novice. Elle prenait de plus en plus les devants et anticipait à merveille mes envies.

*Bordel… !*

J'essayai de sortir du lit sans la réveiller, un peu à la manière d'une feuille qui passe dans un fax. Par petits à-coups brefs.

— Salut.

*Raté… !*

Ses grands yeux noisette et ensommeillés me scrutaient avec cette indicible lueur de… de quoi ? Je n'en savais rien, en fait.

Elle me voulait quoi ?

— Salut…

— On s'est endormi, dit-elle en affichant un doux sourire ravi.

— Ouaip, apparemment.

— Tu as bien dormi ?

Je me décalai sur le bord du lit pour mettre de la distance.

— Oui.

Elle étendit aussitôt son bras pour ne pas rompre le contact entre nous et le posa doucement sur mon torse. Je ne ratai rien des allées et venues de sa main.

Elle redessina de son index les contours de mes pectoraux, de mes abdos. Elle traça un cercle autour de mon nombril et suivit la ligne de poils sur mon bas-ventre jusqu'à ce que ses doigts touchent ma queue dressée et désireuse de ses caresses.

— Mmm… gémit-elle en m'enserrant fermement.

Elle commença de lents va-et-vient en collant son corps nu et chaud contre le mien. J'enfonçai ma tête dans l'oreiller et lâchai un son d'extase. C'était un délice, mais je ne pouvais la laisser faire. La seconde d'après, je me repris.

Je bondis hors du lit.

— Non, Sarah, arrête ! Qu'est-ce… Qu'est-ce que tu fais ? Ça va trop loin, là ! Tu ne dois pas agir comme ça. Tu… Je… Merde à la fin !

Passés la stupéfaction et l'embarras, elle me sourit timidement.

— Je voulais te donner du plaisir…

— Je sais, commençai-je. Mais, tu n'as pas à dormir avec moi. Tu n'as pas à faire comme si j'étais ton mec en me demandant si j'ai bien dormi et tout le blabla des couples. Je ne suis pas ton mec ! On couche ensemble et on s'en va chacun de notre côté. D'accord ?

Je voulais remettre les choses au clair. C'était convenu comme ça. Elle le savait, pourtant. Baissant le regard, elle s'assit et remonta la couette sur sa poitrine, puis elle tourna la tête vers le radio réveil.

— Désolée, murmura-t-elle.

Il régnait un sacré désordre dans mon esprit. Je ne voulais pas la blesser. Elle ne le méritait pas. C'était une fille en or. Cependant, je n'étais pas prêt à lui consacrer ce genre d'instant.

Elle finit par quitter le lit, mettre ses sous-vêtements et rassembler le reste de ses affaires.

— Je vais être en retard au travail, dit-elle avant de partir.

Je me rallongeai sur le lit et attrapai le coussin qui était sous sa tête pour en humer son parfum. J'étais un véritable abruti. Un véritable connard. Je faisais n'importe quoi et j'étais totalement indécis. J'avais la trouille. J'étais effrayé par le fait de retomber amoureux et de la perdre ensuite. De quoi avais-je vraiment envie ou besoin ? Je pouvais quand même essayer, tenter. Ce n'était pas la mort, non plus.

Après m'être maudit et traité de tous les noms d'oiseaux possible, je me levai, fermement décidé à prendre une décision. J'enfilai un boxer et un tee-shirt avant de partir retrouver Sarah dans la salle de bain.

Je frappai à la porte. Elle m'ouvrit aussitôt.

— Qu'est-ce qu'il y a ? me demanda-t-elle froidement.

Je refermai derrière moi.

— Je suis désolé, je…

— Non. C'est de ma faute, je…

— Non, s'il te plaît, écoute-moi !

Je l'attirai contre moi alors qu'elle finissait de s'attacher les cheveux. Elle sembla surprise par mon changement total de comportement. Mais qui ne l'aurait pas été ?

Perplexe, elle posa ses mains sur mes bras et croisa mon regard.

— Vas-y, je t'écoute.

— Je suis vraiment désolé. Je n'ai pas à agir comme ça avec toi. Et si tu me laisses encore un peu de temps, je veux bien essayer quelque chose avec toi. Je veux bien essayer d'être ton petit ami. Je viens de me comporter comme un idiot. J'ai mes raisons, ce qui ne pardonne en rien mes agissements, mais… mais, tu me pardonnes ?

— Tu veux bien être mon petit ami ? lâcha-t-elle, déroutée et abasourdie.

— Oui. Je… je ne te promets rien, mais j'ai envie d'essayer.

— Tu veux donc sortir avec moi ?

— Oui. Enfin, je t'inviterais bien au restaurant, au ciné ou un truc du genre, mais il va falloir attendre deux ou trois jours. Mon frère arrive cet après-midi, et je ne veux pas le laisser seul alors qu'il vient me voir, tu comprends ?

Elle hocha lentement la tête. J'avais vraiment la sensation d'annoncer à quelqu'un qu'il venait de gagner au loto, chose que je ne comprenais pas, puisque je n'étais pas un cadeau, loin de là. Elle resta sans voix, troublée, et ses yeux se mirent à pétiller d'une joie presque communicative. Je la serrai fort dans mes bras et enfouis mon nez dans ses cheveux pour en savourer l'odeur. Elle me rendit cette étreinte avec la même force. Nous restâmes dans la même position une petite minute. Être contre elle, dans ses bras était merveilleux, je devais l'admettre.

— Bon, je te laisse finir de te préparer, dis-je en reculant.

Hésitante, elle se hissa sur la pointe des pieds et vint déposer un léger baiser sur mes lèvres.

— Merci. À tout à l'heure.

Je fis demi-tour pour quitter la pièce.

— Logan ? m'interpela-t-elle.

— Hum ?

— J'ai hâte de rencontrer ton frère.

— Oh ! Euh… Ne t'emballe pas trop vite, c'est une vraie teigne et il est intenable. Tu vas prier pour qu'il reparte. Je t'assure !

Elle rit et j'en fis autant. Puis, je descendis à la cuisine où Marley buvait son café en lisant son magazine habituel : *Elle*. J'étais plutôt de bonne humeur, alors je tentai un bonjour. Ce que je n'avais plus fait ces derniers temps. C'était peut-être bête, mais mes échanges avec elle me manquaient un peu, car, finalement, elle était devenue plus que ma patronne. Elle était une amie.

Je pensais qu'elle n'allait pas me répondre, mais elle finit par lever le nez de sa tasse et de son magazine.

— Bonjour, Logan.

Me servant un verre de jus d'orange, j'essayai une autre approche.

— Tu vas bien ?

— Oui, et toi ?

— Bien, bien.

Le silence s'installa aussi vite qu'il avait été brisé. Je m'assis en face d'elle une fois mon jus d'orange servi et une tasse de café en main.

— Au fait, lançai-je, j'espère que tes problèmes avec la police ne sont pas trop graves. Ils sont passés, l'autre jour.

Elle se racla la gorge et me lança un sourire forcé.

— Simple histoire de contraventions impayées. Rien de grave.

— Dis donc, ils sont efficaces en Californie. Ils se déplacent pour des contraventions ! En Géorgie, ils envoient un simple courrier, puis un autre, si jamais tu les ignores, raillai-je, sarcastique.

— Hum…. Hum…

J'avalai une gorgée de mon café sans la quitter du regard. Elle resta impassible, digne d'elle. Ce qui m'agaçait au plus haut point.

Je tentai une autre tactique.

— Tu veux que je te raconte une histoire qui m'est arrivée ?

— Si elle concerne la petite blonde dans ton portefeuille, je veux bien. Sinon, non. Je m'en passerai.

— Quelle blonde ? demanda Sarah en arrivant en vitesse. Quel portefeuille ?

Je m'enfonçai dans mon siège et me décomposai. *Merde…!* Je fusillai Marley du regard en priant qu'elle ferme son clapet.

— Tu es en retard, non ? intervint Marley en regardant l'horloge et, pour le coup, me sauvant la mise.

— Oui, désolée, je file.

Sarah se saisit d'un pain au raisin et se pencha sur moi pour m'embrasser. J'eus un moment d'hésitation, mais j'accueillis son baiser. À mon grand soulagement, elle finit par s'en aller sans se préoccuper de ce qu'elle venait d'entendre.

— Merci, dis-je à Marley.

Elle me lorgna, déroutée.

— Intéressant… Votre relation évolue, à ce que je vois ?

— J'essaie…

— Tu essaies quoi ? De remettre le couvert avec ton ex par le biais de Sarah ou t'essaies de te voiler la face ?

— Ce n'est pas… mon ex.

— Ah, ah, rit-elle. Ne me dis pas que c'est ta sœur, je ne te croirai pas.

— Comme je ne crois pas à tes contraventions impayées.

— Tu as raison, ce n'est pas la véritable raison de leur venue, admit-elle en se levant de sa chaise. Mais tu mens aussi mal que moi et, d'ailleurs, à ce sujet, j'ai hâte que ton petit frère arrive. Je ne suis d'ordinaire pas très intéressée par les jeunes, mais un soupçon de séduction, et il parlera peut-être…

*La garce…!* D'une démarche féline, elle contourna la table, prête à quitter la pièce, mais je la retins par le poignet et sifflai.

— Tu ne touches pas à mon frère !

112

Au lieu de m'éviter ou d'essayer de m'envoyer valser la main qui l'enserrait, elle pivota pour venir se placer derrière moi. De son bras libre, elle le passa sur mon épaule et le glissa sans gêne sur mon torse.

— Peut-être que lui sera intéressé, murmura-t-elle lascivement à mon oreille. Il voudra peut-être essayer les talents d'une femme expérimentée plutôt que de dépuceler une minette...

Elle fit courir ses doigts jusqu'à l'élastique de mon boxer, puis elle les freina à la naissance de ma queue qui eut un soudain regain d'énergie. J'essayai de maîtriser ma respiration. Mon corps était en éruption. J'étais partagé entre hargne et fougue. Je fermai les yeux dans l'espoir de retrouver un semblant de contrôle, mais en vain. Son souffle m'effleurait et son parfum sucré m'enivrait. Je perdais pied.

— Tu as perdu ta langue, Sexy boy ? ricana-t-elle, la bouche toujours contre mon oreille.

J'eus le réflexe d'incliner la tête sur le côté. J'aurais mieux fait de partir tant qu'il était encore temps, mais j'étais tétanisé par le désir, par l'envie de la prendre, là, sur la table. Marley avait ce pouvoir sur moi. Elle était si magnifique que lui résister était quasiment impossible. Elle profita de mon mouvement pour venir me lécher avec beaucoup de lenteur une partie du cou. Ce qui enclencha en moi le compte à rebours d'une bombe qui menaçait d'exploser. Je pris deux inspirations furtives et, d'un geste brusque, je la tirai à moi. Elle se retrouva assise à califourchon sur mes cuisses en une seconde chrono et passa ses bras autour de mes épaules. Dans la même hâte, elle me prit ensuite à pleine bouche. J'accueillis sa langue et l'entremêlai à la mienne. Dans un grognement de plaisir, je la soulevai et balayai tout ce qui se trouvait sur la table. Tasse, panière, bouteille, tout se brisa par terre.

Je l'allongeai. Quand je croisai son regard, le désir que je lus dans ses yeux me rendit fou. Elle m'entoura les hanches de ses jambes et m'incita en basculant la tête contre le bois.

— Prends-moi sur cette foutue table, Logan.

Sa parole se répercuta directement en moi qui ne demandais qu'à lui obéir. J'attrapai l'ourlet de son débardeur et le lui ôtai à la hâte. Elle ne portait pas de soutien-gorge, je plongeai donc directement mes lèvres sur sa poitrine tandis qu'elle enfouit ses doigts dans mes cheveux. Elle se cambra et se tortilla sous moi. Ses gémissements, ses appels augmentèrent mon désir déjà virulent. Je posai une ligne de baisers entre ses seins. Je la mordillai, attisai ses tétons de mes doigts, puis un flash me percuta l'esprit. Je calai mon front contre elle.

— Je ne peux pas, haletai-je.

— Quoi ?!

Elle m'agrippa les cheveux afin de me contraindre à relever la tête et trouver son regard.

— Sarah ! Je lui ai dit que je voulais que cela devienne sérieux entre nous. Je ne peux pas lui faire ça.

Déçue, elle heurta le bois avec l'arrière de son crâne.

— Je me doutais que tu n'irais pas jusqu'au bout.

— Désolé…

— Je n'ai plus qu'à aller me satisfaire toute seule.

Je posai ma joue sur sa poitrine et ris.

— Et tu ferais bien d'en faire autant, gloussa-t-elle ensuite.

Effectivement, j'avais une érection du tonnerre.

— Il paraît que sucer, ce n'est pas tromper. Si jamais cela te dit, raillai-je.

Un immense sourire se forma sur mes lèvres en voyant sa réaction. Elle éclata de rire et me repoussa.

— Dans tes rêves !

Je me redressai et reculai d'un pas prudent pour éviter les éclats au sol. Elle s'assit et regarda le foutoir autour de nous.

— Bon ben, on est bon pour un nettoyage, soupira-t-elle.

Je m'étais freiné. J'avais vraiment envie d'elle et ce désir était toujours présent. Surtout quand je la voyais comme ça, devant moi. La mine boudeuse. Si belle… Non ! Telle une déesse. Une beauté pure. Une bombe. Cette femme était une tentatrice munie d'un charme envoûtant. Mais j'avais promis une exclusivité à Sarah. Elle était si heureuse tout à l'heure, et cela m'avait fait un bien fou de la voir ainsi. Pour la première fois depuis deux ans, j'avais une vision de l'avenir. Je ne pouvais pas merder à ce point. Non, je ne pouvais pas, même si j'étais passé à un cheveu de le faire.

Je m'avançai à nouveau et me calai entre ses jambes.

— Marley ? débutai-je en lui caressant la joue. Est-ce qu'on pourrait se faire confiance ?

Elle fronça les sourcils, perdue.

— Je te fais confiance. Pourquoi dis-tu ça ?

— Non, je veux dire. Je suis prêt à te parler, mais je souhaite que tu en fasses autant.

Elle baissa la tête. Je lui remontai aussitôt le visage.

— Marley ? Parle-moi. Je veux vraiment t'aider. Tu es mon amie.

Elle marqua un temps d'hésitation. Elle avait envie de me parler, je le percevais dans son regard, mais tous ses murs l'en empêchaient.

— Quelqu'un menace la vie d'un être cher à mes yeux, m'avoue-t-elle enfin.

— Qui te menace ? Ton mari ?

— Non, lui, c'est qu'un gros naze qui souhaite récupérer la moitié du pognon de notre futur divorce.

— Alors, qui te menace et pour quelle raison ? Tu as prévenu les flics ? C'était pour cette raison leur venue ?

— Oui et non. Je ne peux pas les prévenir, Logan.

— Pourquoi ?

— Parce qu'à chaque fois que j'intente quelque chose, cette pourriture me le fait payer. Je ne sais plus quoi faire, Logan !

— C'est-à-dire ?

Son front était barré par la crainte. J'étais inquiet, vraiment soucieux, mais elle ne voulut pas m'en dire davantage.

— Elle s'appelait Abby, dis-je en la prenant dans mes bras.

Ce câlin, je le voulais pour la réconforter, mais cela me permettait aussi de fuir son regard, et peut-être même son jugement. Je n'avais jamais parlé de mon histoire à personne, à part avec ma famille, mais là encore, le sujet était devenu tabou.

— Oh ! Elle s'appelait ?

— Oui, elle est… est décédée.

— Je suis navrée…

Je haussai les épaules. J'étais navré, moi aussi, et atrocement triste, mais je m'abstins de le lui révéler. Je voulais paraître fort, alors que je ne l'étais pas du tout.

— Qu'est-ce qu'il lui est arrivé ?

C'était la question que j'appréhendais le plus, malgré tout et, après une longue inspiration, je me lançai.

— Je l'ai tuée, murmurai-je en ravalant ma culpabilité et l'enfer de cette nuit-là.

Les images de l'accident se succédaient en boucle dans ma tête. Je plissai les paupières comme pour éviter de voir son visage ensanglanté, mais en vain. Elle était toujours à mes côtés et sans vie.

— Quoi !? Comment ?

Elle recula promptement et me fixa, hébétée.

— Un accident de voiture.

— Oh !

# CHAPITRE 10

Elle ne m'avait pas jugé. Je lui avais expliqué ce qu'il nous était arrivé lors de l'accident et, en bonne amie, elle m'avait affirmé que rien n'était de ma faute. Pourtant, je m'en voulais toujours. Le pire s'était bien produit à cause de mon manque de sommeil.

Nous avons fini par nettoyer la cuisine dans un silence qui aurait pu se révéler gênant. Mais non, une sorte de sérénité apaisante nous enveloppait. Une légèreté où les sourires et taquineries furent de mise. Je m'inquiétais toujours pour ses problèmes et n'abandonnais pas l'idée de l'aider et de creuser plus profond, cela dit.

— Voilà ! Fini ! dit-elle joyeusement en plongeant le balai-serpillière dans le seau.

Les mains pleines de mousse et d'humeur toujours aussi légère, je la badigeonnai de savon.

— Hé ! râla-t-elle en dégainant le balai. Bats les pattes !

Elle tenta de m'asperger d'eau. J'attrapai vigoureusement le manche et tirai dessus. Mettant un pied sur le parquet mouillé et une flaque, je glissai et emportai Marley dans ma chute. J'eus tout de même le réflexe de passer un bras derrière son dos, ce qui eut pour effet de ralentir le mouvement. Mais, l'inévitable se produisit et nous nous étalâmes tous les deux à terre dans un fou rire.

Allongé sur elle et en appui sur un coude pour éviter de trop l'écraser, je me préoccupai d'elle, une fois l'euphorie du moment passée.

— Ça va ? Rien de cassé ?

— Non, ça va, s'esclaffa-t-elle encore. Par contre, pourrais-tu te décaler, tu m'écrases un sein ?

— Oh ! Désolé…

Je basculai sur un côté, puis m'allongeai.

— Alors, comme ça, tu vas vraiment essayer avec Sarah ? lâcha-t-elle tout à coup.

Je fléchis la tête pour croiser son regard rieur.

— Je vais voir comment je gère ça, ouais.

— Tu penses avoir des sentiments ? Ou c'est plus du genre « elle me fait penser à Abby » ?

— Marley ! la réprimandai-je.

Elle rit de plus belle. Je ne trouvais pas cela tellement drôle, mais il était vrai que leur ressemblance était flagrante. Qu'est-ce que j'y pouvais ? Sarah me plaisait et m'attirait. Je me sentais bien auprès d'elle et j'avais hâte de pouvoir partager davantage avec elle, même si j'avais encore beaucoup de travail à faire sur moi.

— C'est bizarre, mais je ne te vois pas du tout avec une fille comme elle.

— Abby était comme elle.

— On change, commença-t-elle. Et nos attentes aussi.

Je me positionnai sur mon flanc gauche et me maintint la tête d'une main, puis lui attrapai une mèche de cheveux que j'entortillai machinalement autour de mon index.

— Où veux-tu en venir, docteur Sigmund Freud ?

Elle émit un rire atrocement sexy.

— Simplement que tu vis dans le passé, Sexy boy!

Effectivement, ma vie s'était arrêtée le 10 mars 2014 avec la mort d'Abby, alors, comment ne pas vivre dans le passé ? J'aurais aimé qu'on me rende cette vie, la femme que j'aimais tant, mais c'était impossible. Je devais vivre avec.

— Bon, et toi ? changeai-je sciemment de conversation. Raconte-moi.

Elle se redressa pour s'asseoir et s'adosser au placard sous l'évier.

— Hum ?

— Tu es donc mariée ?

— Non. J'étais mariée, enfin, je suis séparée.

— Comment s'appelle cet abruti ?

J'adoptai la même position qu'elle et lui ouvris un bras pour qu'elle vienne se blottir contre moi. Ce qu'elle fit volontiers.

— Cet abruti s'appelle Tony. Il est de Santa Monica.

— Son nom de famille est Kurt, c'est ça ?

— Oui, affirma-t-elle.

— Et Hopkins ?

— C'est mon nom de jeune fille.

— Vous vous êtes mariés il y a longtemps ?

— Quatre ans, et on s'est séparé il y a un an.

— D'accord, et pourquoi vous êtes-vous séparés ?

— Parce que j'ai découvert qu'il me trompait.

— Oh, oui ! Un coup dur !

Elle haussa les épaules.

— C'est comme ça.

Alors qu'un silence s'installait entre nous, je la serrai fort contre moi avant de déposer un baiser sur sa tempe. Je la sentis se détendre et ce serait mentir que de dire que je n'avais jamais apprécié nos échanges. Marley était une femme de caractère, mais elle savait aussi se montrer douce et câline.

Je finis par la lâcher et filer sous la douche. Je passai ensuite un coup de téléphone à mes parents qui s'inquiétaient, puisque je ne leur avais pas donné de nouvelles depuis trois jours. Mon frère devait arriver en début d'après-midi. Je ne l'avais pas vu depuis trois mois et, même s'il était une vraie tornade à lui seul, j'aimais passer du temps avec lui. Nous nous disions tout, sauf peut-être le manque que nous ressentions en commun : Abby.

Après avoir mangé et m'être préparé, je descendis au rez-de-chaussée et, dans le hall, je croisai à nouveau Marley qui rentrait tout juste du bar.

— Je vais chercher Joshua à L.A.X, tu veux m'accompagner ? dis-je en attrapant les clefs de mon pick-up.

Comme elle ne répondait pas, je rivai mes yeux sur elle. Le visage dévasté de larmes, elle continua sa route vers le salon sans un mot. J'entendis ensuite la porte de son bureau claquer. Je m'y précipitai et frappai conte la porte qu'elle venait de verrouiller.

— Marley ? Ouvre ! Qu'est-ce qu'il t'arrive ? Ça va ?

Je perçus un frottement contre la porte comme si elle se laissait tomber au sol.

— Marley !? Ouvre, bordel ! Sinon, je défonce la porte !

— Laisse-moi tranquille, dit-elle d'une petite voix saccadée par les sanglots.

— Non, ouvre !

Je frappai encore et encore.

*Merde !...*

— O.K., dis-je. Je ne pars pas tant que tu n'as pas ouvert cette foutue porte.

Je me laissai à mon tour glisser contre la porte et m'assis.

— Va chercher ton frère, tu vas être en retard, pleura-t-elle encore.

— Tant pis pour lui, il viendra à pied.

— Logan ! rouspéta-t-elle. Pars !

— Non. Je reste. Puis, tu vas être obligé de me conduire à L.A.X, je viens de me prendre quelque chose dans les yeux, j'y vois plus rien… Je peux plus conduire, raillai-je.

— C'est faux !

— Ça aurait pu être vrai, note…

J'aurais tellement voulu que, derrière cette fichue porte, elle sourie, mais ça n'avait pas l'air de marcher. Alors, je tentai une autre approche.

— Tu veux que je te raconte une anecdote ?

Vu qu'elle persistait dans son silence, je me lançai dans un monologue.

— C'était au début de ma relation avec Abby. On sortait ensemble depuis un mois environ. Je décide un soir de l'inviter chez mes parents pour les lui présenter. Tu sais ? L'incontournable repas corvée où l'on présente sa ou son petit ami à ses parents ? Bref, je me décide. J'étais déjà fou amoureux d'elle et étais pressé de savoir ce que mes parents allaient penser d'elle. J'étais assez nerveux, mais aussi persuadé qu'elle allait leur plaire, puisqu'elle était parfaite. Polie, discrète et intelligente. Enfin, voilà, le repas se passe à merveille. Elle fait bonne impression autant à mon père qu'à ma mère. Une fois la table débarrassée, Abby et moi sommes montés dans ma chambre pour… enfin, tu vois ? Faire quelques petits câlins. Ce soir-là, c'était des câlins plus hard que d'habitude. Disons que nos mains se baladaient partout et quelques boutons et vêtements ont sauté. Bref. Avec mon frère, on partageait une salle de bain qui sépare nos deux chambres. Ce petit con, si je puis dire, nous a surpris en train de conclure notre petite affaire, mais nous ne l'avions pas vu et…

Je me tus quand j'entendis le verrou de la porte et je me relevai. Lorsqu'elle ouvrit, je me retrouvai face à son visage baigné de larmes. Aussitôt, son expression m'affecta et m'arracha le cœur.

— Pourquoi tu me racontes tout ça ? sanglota-t-elle.

Je lui souris en espérant alléger un minimum sa peine.

— Attends, je n'ai pas fini.

Je lui essuyai une larme et continuai sur ma lancée.

— Et puisque, quelques heures auparavant, je m'étais disputé avec lui, il est descendu voir mes parents pour se venger en prétextant que je cherchais absolument à les voir et que c'était urgent. Du coup, inquiets, ils sont montés et ont débarqué dans ma chambre alors qu'Abby était en train de me sucer. Tu imagines le gros malaise… Abby n'est plus revenue chez mes parents durant au moins trois ou quatre mois, tant elle a eu honte.

— Tu aurais pu fermer la porte à clé, dit-elle dans un demi-sourire qui me ravit.

— Elle ne se verrouillait pas, cette satanée porte. Donc, tout ça pour te dire qu'il m'en doit une, alors, s'il poireaute un peu à l'aéroport, ce n'est pas bien grave. O.K ? lui énonçai-je en accompagnant ma parole d'un clin d'œil.

Elle insista tout de même.

— Vas-y, Logan. Ça va aller.

Elle vint prendre place avec moi dans le couloir et s'adossa au mur face à moi.

— Tu sais, Marley. Il y a un truc qui me chiffonne un peu. Tu parais vraiment mal, et je ne vois jamais aucun proche venir te remonter le moral. C'est à se demander si tu as une famille, des amis. Tu vois ? Alors, même si je ne suis que le petit employé sans intérêt dans l'histoire, on est devenu ami, non ? Alors, parle-moi. Je t'en prie.

Elle bascula la tête en arrière et la posa lentement contre le mur.

— Mon père, commença-t-elle dans un long soupir. Il est atteint de la maladie d'Alzheimer à un stade modéré. Il possède un ranch au Texas, à Freeport, plus exactement. Il vit entouré d'une équipe médicale pour l'aider. Son état s'aggrave de jour en jour. Il y a environ un mois, j'ai été contactée par une personne via Snapchat. Tu sais, l'application où tu partages des vidéos et photos éphémères ?

Je hochai la tête. Elle poursuivit.

— Je ne savais pas qui c'était, mais j'ai accepté la demande d'ajout. Cette personne a commencé par m'envoyer des photos du ranch, puis de mon père et là, les menaces ont commencé. Cette personne en veut à la vie de mon père. Elle prend des photos de lui quand il dort en lui plaçant un couteau sous la gorge et…

Elle se tut et ravala un lourd sanglot.

— Tu as prévenu les flics ? lui demandai-je, atterré.

— Oui, mais je n'ai rien de concret, et je n'aurais pas dû. La personne m'avait interdit de le faire. L'aide-soignante de mon père vient de m'appeler pour me prévenir d'une mauvaise chute. Il a été hospitalisé d'urgence. Son état est stable, mais ils ont eu très peur.

— Et tu penses que c'est à cause de la personne qui le menace ?

— Je ne le pense pas, j'en suis certaine, dit-elle en sortant son téléphone de la poche de son short. Regarde, j'ai fait une capture d'écran du Snap.

Elle me tendit son Smartphone. Je m'en saisis aussitôt. La photo qui apparut sur l'écran n'était autre qu'un paysage texan avec un message : *« Police = Accident - tic, tac, ma belle Marley. »*

— Tu as fait d'autres captures ?

— Oui.

Je m'empressai de regarder la suite des photos. Effectivement, tout ce qu'elle m'avait raconté était vrai et terrifiant.

— C'est forcément une personne du personnel soignant, non ?

— Comme je te l'ai dit, mon père possède un ranch de plusieurs hectares et une centaine de bêtes. Ils y font de l'élevage, du dressage, organisent des randonnées et diverses activités de plein air. Il doit avoir environ une dizaine d'employés et ça, sans compter les saisonniers et les stagiaires. Ça peut être n'importe qui.

— Et ta mère ? osai-je.

— Mes parents sont divorcés depuis plus de trente ans. Elle m'a donné naissance, puis elle est partie. J'ai toujours vécu avec mon père, ici, dans cette maison. Il possédait le Heaven avant de me le léguer et de partir au Texas monter son ranch. Ma mère vit à Miami, enfin… aux dernières nouvelles.

— D'accord, dis-je en lui rendant son Smartphone. Les menaces te poussent à faire quelque chose ? C'est un chantage ? Je veux dire, il y a une contrepartie, un intérêt pour lui ou elle ?

— Non. Il ne m'a rien demandé encore.

Je lui tendis la main.

— Tu m'accompagnes chercher Joshua ? On parlera de tout ça en route.

Elle hésita, puis finit par attraper ma main.

— Logan ?

— Hum… ?

— Tu n'es pas un employé sans intérêt, me lança-t-elle dans un sourire à croquer.

# CHAPITRE 11

Nous prîmes mon pick-up pour nous rendre à l'aéroport. Nous aurions pu prendre la Ford de Marley, mais elle avait insisté. Apparemment, elle adorait mon vieux tacot. Je n'avais pas trop compris pourquoi, mais elle souriait. C'était l'essentiel. J'aimais la voir détendue et, même si son regard restait triste, elle semblait un tant soit peu heureuse.

Je tournai au carrefour et m'engageai sur le boulevard Lincoln en direction de L.A.X avant de la questionner.

— Pourquoi tu aimes tant cette vieille rouille ?

— Mon père avait le même. Même couleur, même marque. Quand j'étais petite, on faisait des escapades dans le Nevada ou parfois jusqu'au Texas durant les vacances d'été. Ce sont des souvenirs que je n'oublierai jamais. J'adorais ça.

— Pourquoi ton père s'est exilé au Texas, d'ailleurs ? Vous y avez de la famille ?

— Non. Mon père est un passionné de chevaux et de la mentalité texane. C'était son objectif de finir sa vie là-bas. Il voulait vivre le rêve texan. Il a racheté un domaine et s'y est installé quand j'ai été en âge de me débrouiller toute seule. Enfin, du moins, quand je lui ai affirmé que je pourrais me débrouiller toute seule. Car, à vrai dire, je n'étais pas prête à vivre sans lui. J'ai dû le pousser. Il était bien trop inquiet pour sa fille unique, mais je voyais qu'il aspirait à cette vie et qu'il était malheureux ici. Il a passé tellement de temps à s'occuper de moi et à me donner tout ce dont une enfant rêve que je me devais de lui rendre sa liberté.

— Tu sembles vraiment beaucoup aimer ton père, dis-je en déposant une main sur sa cuisse.

Elle suivit mon geste du regard.

— Dis donc, Sexy boy, va falloir veiller à être moins tactile si tu veux donner une exclu à ta petite Sarah. Ça pourrait être très mal interprété.

— J'y peux rien, je suis comme ça.

Je haussai les épaules et lui décochai un clin d'œil. Elle s'esclaffa et je ne pus m'empêcher d'aimer ce rire. Il était très communicatif et tellement rafraîchissant. C'était un pur plaisir de l'entendre.

Au bout d'une demi-heure de route, nous arrivâmes enfin devant l'allée réservée au stationnement. Mon frère devait déjà être là. Ne le voyant pas, je lui envoyai un texto et patientai.

— Bon sang, qu'est-ce qu'il fout ?

Je ne compris pas sur le moment, mais Marley partit dans un soudain fou rire. Perplexe, je lui jetai un coup d'œil indécis. Incapable de parler tant elle riait, elle tendit le bras pour me montrer quelque chose. Étant garé derrière un van aux vitres tentées, je ne vis rien. Je me penchai sur elle.

— Je ne le connais pas, rit-elle encore. Mais c'est bien ton frère, il n'y aucun doute.

— Mais quel abruti !

Je soupirai en le voyant fanfaronner avec deux hôtesses de l'air.

— Je te signale que tu faisais la même chose avec Kandy et Sarah, il y a de ça quelques semaines.

— Tu rigoles ?! J'étais bien plus subtil, dis-je en l'observant tripoter les fesses de l'une d'elles.

Je finis par descendre du pick-up, suivi de Marley qui peinait à s'arrêter de rire. Joshua nous repéra et quitta les deux hôtesses, un large sourire aux lèvres.

— On se phone les filles.

Il écarta les bras et vint me donner une vive accolade.

— Putain, gros ! Ça fait plaisir de te revoir.

— De même ! Tu as fait bon vol ?

— Ouais, bah, écoute, parfait. J'ai rencontré… entama-t-il, mais il se tut en voyant Marley. Woow !! C'est la fille ?

Je lui donnai une tape sur l'arrière du crâne en me demandant s'il connaissait le mot « discrétion » et s'il était capable d'en faire usage. Il la reluqua de haut en bas sans la moindre gêne et s'attarda un peu trop sur sa poitrine qui, soit dit en passant, était somptueusement mise en valeur par le décolleté de son débardeur.

— Je ne suis pas LA fille, répondit-elle en lui tendant la main. Marley, enchantée.

Il ne lui rendit pas sa poignée de main, mais l'étreignit avec force et ténacité. Exaspéré, je l'attrapai par l'arrière du col de son tee-shirt et l'éloignai.

— Oui, bon, c'est bon, là ! Ne l'étouffe pas, quand même !

— Eh ben, gloussa Marley. Les câlins sont une tradition, dans votre famille. C'est adorable !

Nous rîmes tout en regagnant la voiture. Joshua nous raconta ses folles histoires vécues durant son vol. Il avait toujours été hyperactif et, plus il prenait de l'âge, moins cela s'arrangeait. Du moins, c'était mon impression et, pour couronner le tout, il était un vrai moulin à paroles. Cependant, ce qui me tracassait davantage à cet instant-là, c'était sa réaction quand il verrait Sarah. Allait-il savoir se taire ?

À la maison, Marley partit prendre la relève au bar. J'en profitai pour installer Joshua dans ma chambre et le briefer sur deux ou trois points concernant nos roulements pour le bar, les repas et les deux salles de bain.

— J'ai vu deux planches dans le pick-up, on va se faire quelques vagues ? Tranquilles ! Entre bro…

J'étais nerveux et inquiet. Je devais le lui dire. Il allait sûrement faire une gaffe au sujet de Sarah et Abby, mais comment aborder un sujet aussi délicat ?

— D'accord, acquiesçai-je. Mais, d'abord, j'aimerais te présenter Kandy et… Sarah. Elles ne vont pas tarder à rentrer.

— Ouais, ouais ! dit-il en se balançant d'un pied à l'autre, surexcité. Bon, si j'ai bien compris tu baises Sarah ? C'est elle, la fille ?

Sa conclusion était un peu brute de décoffrage, cela dit, comment lui en vouloir ? Jusqu'à Sarah, c'était effectivement le terme que j'employais.

— On va dire ça comme ça… Par contre, une chose dont je souhaitais te parler : personne, ici, à part Marley, n'est au courant pour Abby, alors…

Je me tus. La soudaine décomposition de son visage me fit comprendre que je venais d'aborder le sujet tabou et j'y étais allé franco. Disons que je me surpris moi-même. Quelque temps auparavant, je n'aurais jamais pu lâcher ça avec autant de décontraction et de naturel. Je vis passer comme une ombre de stupéfaction dans ses yeux. J'avais prononcé son nom. Ce nom interdit. *Voldemort* ne lui aurait pas fait autant d'effet. Abby et lui étaient très proches, ils avaient une passion commune : *Harry Potter*. Ils pouvaient en parler durant des heures ensemble. J'avais perdu l'amour de ma vie ce soir-là, mais Joshua, une sœur. Je compris sa douleur. Toutefois, je me rendis compte que d'en avoir parlé avec Marley m'avait fait un bien fou.

— Donc, tu ne fais pas de connerie, O.K ?

— Euh… Ouais !

Il ne percuta pas, et je manquai de courage pour lui expliquer. De toute manière, il allait rapidement faire le lien, puisque j'entendis la porte d'entrée s'ouvrir et les rires des deux filles monter jusqu'à nous. Je me crispai quand les marches des escaliers craquèrent.

Inévitablement, quelqu'un frappa. J'allai ouvrir.

— Coucou, me salua Sarah, tout sourire.

Je la pris dans mes bras et la soulevai pour l'embrasser.

— Sarah, je te présente mon petit frère, Joshua.

Elle s'avança lentement vers lui, une main tendue.

*Eh merde… !* Ce qui devait arriver, arriva.

Il ne réagit pas. Plus. Il avait capté. Il fut aussi secoué que moi la première fois. Il nous passa du regard tour à tour, sans aucune autre réaction.

Je vous ai déjà dit que mon frère était hyperactif, non ? Oui, certes ! Mais là, il ressemblait plus à un pantin désarticulé. Il lui attrapa mollement la main.

— Ah ! s'écria la tornade Kandy en pénétrant dans la chambre. Le mini Logan est là ! Bienvenue.

Elle vint l'étreindre, alors qu'il gardait un regard incrédule rivé sur Sarah. Un malaise s'était installé dans la pièce. Je devais faire quelque chose avant que cela dérape.

— Bon, dis-je en tapant des mains afin de trouver une issue de secours. On allait partir surfer. Vous nous rejoignez sur la plage, les filles ?

— Yes ! s'enthousiasma Kandy.

Sarah me prévint.

— Je… je vais prendre une douche avant.

— D'accord.

Elle m'embrassa et quitta la pièce, perplexe quant à l'attitude de Joshua. Elle fut suivie de Kandy qui parut ne pas avoir perçu le malaise. Ceci dit, un chien à deux têtes serait passé devant elle, elle aurait trouvé ça cool et aurait continué son chemin comme si de rien n'était.

Voulant retarder l'inéluctable conversation avec Joshua, je me défilai et descendis au rez-de-chaussée boire un coup avant d'aller enfiler mon maillot de bain, mais il me rattrapa. Le choc passé, la colère le submergea.

— Bordel de merde, Log ! C'est quoi cette histoire ? Qu'est-ce que tu fous ?

Je sortis une bière, lui en tendis une avant de décapsuler la mienne.

— Je bois…

— Non, je te parle de cette meuf, tu… Elle… Merde ! C'est son clone. C'est tordu ! C'est malsain ! Ce n'est pas elle ! Je trouvais bizarre que tu essaies soudainement de te caser, mais là…

— Ce n'est pas elle, effectivement, m'irrité-je.

— Ah bah, on ne dirait pas !

Sa réaction était un peu excessive à mon goût.

— Ne me dis pas que tu penses à elle quand tu la baises, sérieux ?

— Ce ne sont pas tes affaires ! Et toi ? Dis-moi plutôt pourquoi t'es là ? Qu'est-ce que t'as fait encore ? Pourquoi tu fuis les parents ?

Mon changement de conversation était un peu lâche. Je l'admets. Je refusais simplement de répondre à cette question stupide.

— Réponds ! insista-t-il. Abby et cette Sarah pourraient être jumelles. Tourne la page, merde ! Elle est morte !

Je soupirai et dirigeai les yeux vers le hall en sentant une présence. Deux serviettes en main, prête à rejoindre la salle de bain du bas, notre discussion interpella Kandy.

J'essayai de rattraper la situation.

— Kandy, s'il te plaît, ne dis rien à Sarah !

— Je n'ai rien vu, rien entendu, dit-elle, les yeux écarquillés par la surprise.

*Putain… !* Je foudroyai mon frère du regard, alors que Kandy reprit son habituel visage de commère.

— Je comprends maintenant d'où vient ce prénom et pourquoi.

Elle s'élança dans le couloir. Inquiet, je la suivis.

— Quoi ? Pourquoi tu dis ça ?

— La fois de ta cuite, tu n'as pas arrêté de l'appeler Abby. Elle te savait ivre. Elle n'en a pas fait cas… Pauvre petite Sarah, si elle savait.

Sur cette dernière réflexion, elle me claqua la porte de la salle de bain au nez.

J'étais dans une merde noire. Sarah allait être mise au courant et qu'allais-je pouvoir lui dire ?

— T'es en train de méchamment déraper, vieux !

Joshua rejoignit l'étage après un long regard méprisant.

L'atmosphère était pour le moins pourrie. Durant notre séance de surf, il ne m'adressa que peu de mots. Mon frère était bien plus doué que moi sur une planche. Le voir pratiquer ce sport était plaisant. Il maîtrisait son équilibre comme un pro. Et ce n'était pas les filles qui étaient sur la plage qui auraient dit le contraire. Kandy et Sarah nous avaient rejoints. Elles bronzaient sur les chaises longues qu'elles avaient prises sur la terrasse de la maison. Sarah avait mis son bikini noir et avait remonté ses cheveux dorés en un chignon. Elle était superbe et le sourire qui ne quittait pas ses traits délicats ne gâchait rien au plaisir de la vue.

Assis sur ma planche, je dérivais. Je devais prendre mon service au Heaven dans une heure. Je jetai d'ailleurs un coup d'œil au bar. Il n'y avait pas foule. Le rush arriverait vers dix-huit heures ou dix-huit heures trente, comme tous les vendredis. De là où j'étais, j'apercevais Marley. Elle était assise en bout de comptoir comme à chaque fois que le travail n'était pas abondant. Elle nous observait. Je lui fis alors un signe de main. Elle me répondit aussitôt. Je souris et reportai mon regard sur Sarah avant de sortir de l'eau, ma planche sous le bras.

À leur hauteur, je plantai cette dernière dans le sable, et ayant remarqué le sourire de Sarah s'effacer pour je ne savais quelle raison, je pris la décision de la taquiner un peu.

Dégoulinant d'eau, je vins m'allonger sur elle. Au lieu de retrouver le sourire, elle me hurla dessus et me repoussa comme un pestiféré.

— Tu es gelé, Logan !

— Allez, un petit câlin, ricanai-je en ne bougeant pas d'un pouce.

Je lui mordis le cou, la chatouillai et elle finit par s'esclaffer de rire. J'avais gagné ! Pari réussi !

— Mettez-la en sourdine ! s'énerva Kandy en portant son Smartphone à l'oreille.

Elle se leva du transat pour prendre l'appel et s'éloigna. J'en profitai pour lui prendre sa place.

— Pourquoi il a eu cette réaction, ton frère tout à l'heure ? Tu ne l'as pas trouvé bizarre ? Il ne m'a pas décroché un mot.

— Il a peut-être eu un coup de foudre, plaisantai-je.

— Tu as fait la même tête la première fois où l'on s'est rencontré, et pourtant…

Elle rougit et se tut. Le bras tendu entre les deux transats, j'entrelaçai mes doigts aux siens. Je saisis le sens de son « pourtant ». Pourtant, je n'avais pas eu de coup de foudre.

— Parce que je t'ai trouvée belle.

Je ne mentais qu'à moitié. Je l'avais effectivement trouvée superbe après avoir encaissé comme un uppercut sa ressemblance avec Abby. J'omis juste ce détail. Elle resta sceptique, mais tout comme moi, son attention fut attirée par la tumultueuse discussion téléphonique de Kandy. L'interlocuteur la mettait hors d'elle. D'où on était, nous ne pouvions rien entendre, mais sa gestuelle expressive trahissait sa colère. Lorsqu'elle raccrocha, elle se pointa vers moi, les yeux larmoyants.

— Dégage de ma serviette !

Je n'eus pas le temps d'ouvrir la bouche qu'elle insista sur le même ton désagréable.

— Je veux reprendre ma serviette, alors barre-toi !

Je ne répliquai pas et me levai. Sans un mot de plus, elle attrapa ses affaires et rejoignit rapidement la maison.

En plus d'un mois de travail et de cohabitation avec Kandy, c'était la première fois que je la voyais de si mauvaise humeur. Même Sarah était étonnée. Nous nous regardâmes, perplexes, tandis que mon frère nous rejoignait en tirant une tête de six pieds de long.

Le week-end s'annonçait animé…

# CHAPITRE 12

— Sexy boy ?! Attrape ! s'écria Marley en me lançant deux canettes de bières.

Le vendredi soir, le bar était bondé. Nous étions la plupart du temps quatre à travailler : Marley, le cuistot intérimaire, l'extra du week-end et moi. Ce soir-là, il y avait foule, et la petite Cameron, l'extra d'à peine seize ans, avait un mal fou à suivre, alors je devais bosser pour deux.

Mon frère, Sarah et Kandy nous avaient rejoints. Ils sirotaient leurs boissons assis à la table proche du comptoir. J'aurais vraiment voulu savoir comment cela s'était passé entre eux après ma prise de service en fin d'après-midi. Joshua avait l'air plus détendu, et Sarah ne semblait pas me faire la tête, donc, j'en conclus qu'il avait su tenir sa langue tout l'après-midi. Quant à Kandy, c'était pareil, elle avait retrouvé le sourire et sa joie de vivre.

Bien ! Tout allait bien dans le meilleur des mondes.

Je servis les deux bières à la table numéro cinq, débarrassai la huit et allai amener les verres à la plonge.

—Alors ? me demanda Marley. Ton frère a l'air de plutôt bien s'acclimater au littoral pacifique...

Je la rejoignis près de la caisse et m'accoudai au bar, puis jetai un coup d'œil à leur table.

— Boh, il est du genre à s'adapter n'importe où.

— J'ai hâte de pouvoir parler un peu avec lui.

Je reportai mon regard sur elle, brusquement inquiet.

— Pourquoi je sens l'embrouille arriver quand tu dis ça ?

— Relax, Sexy boy ! Je n'aborderai pas le sujet qui fâche. Promis.

Je la remerciai.

— Des nouvelles de ton père depuis ce midi ?

— Ils l'ont laissé sortir de l'hôpital en fin d'après-midi.

— Bon ! C'est plutôt positif. Et tu as des nouvelles de l'abruti qui s'amuse à te faire peur ?

— Non.

— Tu penses faire quoi, alors ? dis-je, soucieux.

Abattue, elle rétorqua :

— Je ne sais pas, mais j'envisage de fermer le bar pour rejoindre mon père.

Sur cette parole, elle encaissa une note que la jeune Cameron lui avait amenée.

— Je pense que tu devrais, oui. Et tu…

Marley ne me laissa pas finir et me colla une carte des boissons contre le torse.

— Ta pause est finie.

Exaspéré, je lui jetai un regard noir et secouai la tête. Fin de la conversation. O.K., j'avais pigé.

En fin de soirée, alors qu'il ne restait plus qu'une dizaine de clients, je rejoignis Sarah et Kandy. Je pris place sur le siège de Sarah tandis qu'elle se hissait sur mes genoux. Finalement, j'avais tenu une journée sans regarder une autre fille et avais repoussé les avances de certaines clientes. J'y étais arrivé sans trop me forcer, et c'était plutôt bon signe.

Déposant un baiser sur sa joue et l'entourant de mes bras, je m'enquis.

— Où est passé Joshua ?

— À ton avis ? ricana amèrement Kandy.

Je l'interrogeai du regard. Je n'en avais aucune idée. À vrai dire, je n'avais jusque-là même pas remarqué son absence.

— Il est parti avec une fille sur la plage, gloussa Sarah avant de préciser. Il est sympa. Tu le juges un peu trop sévèrement.

— Ah ouais ? Vous… Vous avez un peu parlé ensemble ?

J'avais parlé d'une voix incertaine et tremblante, comme si ce n'était pas normal qu'ils discutent tous les deux. Mon manque d'assurance ou plutôt ma crainte avait dû transparaître dans mes paroles, puisque Kandy me lança un regard narquois. Du style : « Enfonce-toi un peu plus, mon vieux ! » Tu rames et tu vas bientôt attaquer la falaise à cette allure.

— Ben oui, s'étonna Sarah. Il ne fallait pas ?

— Si, si…

Je me raclai la gorge pour avoir le temps de trouver une échappatoire.

— Et de quoi avez-vous parlé ? continuai-je, le plus sereinement possible.

— Boh, de banalités. Il s'est intéressé à l'endroit d'où je venais. Ce genre de choses…

— D'accord, et pas plus ?

— Ah si ! s'exclama Kandy. C'est marrant, il nous a dit qu'à une époque, vous aviez une amie qui ressemblait beaucoup à Sarah. Il lui a demandé si elle n'avait pas de la famille en commun.

Elle se tut et une soudaine envie de l'étrangler me submergea. Son intonation et ses sous-entendus me mettaient dans une rage folle.

— Comment il a dit qu'elle s'appelait, déjà ? poursuivit-elle en s'adressant à Sarah.

J'étais prêt à riposter en trouvant un nom ressemblant à Abby, mais Sarah me devança.

— Il ne nous a dit que son nom de famille. Carter, je crois. Puis, la fille avec qui il est parti nous a coupés dans la conversation. Mais je n'ai personne de ce nom-là dans ma famille. Et d'ailleurs, tu ne m'avais rien dit à ce sujet ?

Je la décalai de sur mes cuisses. La discussion se resserrait. Je n'avais pas envie d'aborder ce sujet maintenant. Je devais fuir. J'aurais pu mentir encore une fois. Mais, bon sang ! Ça ne me ressemblait pas.

Je m'enfonçais. C'était pourtant si simple de le lui dire.

Je finis par me lever, perdu. Sarah me dévisagea, perplexe. Kandy baissa les yeux. Elle était allée trop loin. Elle le savait. Pour ma part, j'avais besoin d'air. Je suffoquais de ne rien pouvoir dire et, surtout, je m'en voulais de ne pas arriver à parler librement d'Abby à Sarah.

— Je... je reviens, fus-je seulement apte à prononcer.

Kandy rattrapa Sarah qui s'était élancée à ma poursuite. Je devais lui confier cet épisode de mon passé avant que quelqu'un le fasse à ma place. Mais qu'aurais-je pu lui dire ?

*« Bon ! Écoute, Sarah, tu es le sosie de l'amour de ma vie. Elle est décédée dans un accident de voiture, par ma faute, et, même après deux ans, elle me manque terriblement. Évidemment, tu es quelque peu différente ? Oui, forcément ! Tu n'as pas toutes ses qualités. Tu n'es qu'une pâle copie que la vie a mise sur ma route. Cela dit, je te promets que je n'y pense jamais. Non ! Je ne vous compare pas et ne vois jamais son regard dans le tien. Promis ! Je n'essaie pas de la remplacer. Tu n'es absolument pas une roue de secours à mon désespoir... »*

Ah, ah ! La bonne blague ! Quel crétin... ! J'étais pathétique, n'est-ce pas ?

Je marchai, ne sachant pas où aller, mais loin du monde, loin de la lumière. Loin de ces projecteurs braqués sur moi. Ils me rappelaient qui j'étais. Ce que je faisais. Ma culpabilité. Celle qui ne me quittait plus depuis deux ans, mais aussi celle que je ressentais envers Sarah.

Je dus m'arrêter, mes jambes ne me portaient plus. J'étais accablé par ma connerie. Je n'en pouvais plus. Je ne supportais plus de faire semblant que tout allait bien. Puisque, en fait, rien n'allait. Je souhaitais que ce sentiment de vide s'évapore pour enfin me laisser vivre.

Derrière le bar, je m'adossai au mur et me laissai glisser jusqu'au sol. Je me recroquevillai et posai le front sur l'un de mes genoux, formant une bulle de protection entre le monde et l'imbécile que j'étais. J'aurais aimé disparaître. J'aurais dû mourir avec elle, ce soir-là… Un centimètre, m'avait-on dit. *« Vous êtes un homme chanceux. Vous avez échappé à la mort à un centimètre près… »*

Putain ! Non ! Il n'y avait rien de chanceux à ça.

— Logan ?

Je relevai la tête et aperçus la silhouette de Marley dans l'obscurité.

— Hey ! Sexy boy ? Qu'est-ce qu'il se passe ?

Je ne répondis pas et me repliai dans la même position. J'avais honte de moi. Je n'étais qu'un pauvre type. Je ne voulais pas qu'elle s'attarde sur mon cas, elle allait perdre son temps.

Elle me rejoignit quand même et s'assit à mes côtés. Lorsqu'elle passa une main caressante sur mon dos, j'eus envie de l'envoyer promener, mais, paradoxalement, son geste me fit du bien.

— Il y a un souci avec Sarah ? insista-t-elle.

Je me contentai de secouer la tête. Elle continua.

146

— Tu sais, ce matin, sur la table de la cuisine, au lieu de nous envoyer en l'air, on a fait un pacte. Donc, à ton tour de le respecter.

Mais de quoi parlait-elle ?

J'inclinai le visage et rivai mon regard sur elle en arquant un sourcil, égaré.

— Puisque nous ne sommes pas amants, nous sommes amis. Je te raconte mes problèmes, tu me racontes les tiens. C'est aussi simple que ça.

— Je suis un abruti. Voilà ! Tu sais tout.

— Ah, ça, je ne te le fais pas dire ! osa-t-elle.

Je lui lançai un léger coup de coude dans le bras et me redressai pour m'adosser correctement au mur et étendre mes jambes dans le sable.

— Quoi ? gloussa-t-elle. Tu l'as dit en premier.

Je finis par avouer.

— Je n'ai pas les couilles qu'il faut pour dire à Sarah ce qui m'a plu en premier chez elle.

Elle prit une longue inspiration.

— Réfléchis deux secondes et sois sincère avec toi-même. Qu'est-ce que tu ressens pour elle ? J'ai bien dit « elle ».

L'insistance sur le « elle » me fit sourire.

— Elle me touche, dis-je.

— Approfondis ?

— Je ne sais pas quoi te dire de plus.

— Bon, O.K ! Vous finissez votre contrat dans deux semaines. Déjà, est-ce que tu penses tenir tout ce temps sans aller voir ailleurs ?

Je haussai les épaules.

— Je suppose que oui. Elle est facile à vivre.

— D'accord… Et ensuite ? Dans l'avenir, tu te vois faire quoi ? Continuer ton road trip à travers le pays ou la suivre à Seattle pour prendre un appart avec elle, ensuite jouer l'amoureux transi ? Rencontrer ses parents, sa famille ? Trouver un job à plein temps pendant qu'elle poursuit l'université et endurer tout le pataquès routinier ?

Je ne répondis pas et fixai l'horizon comme si celui-ci pouvait m'aider à voir clair dans ce que je souhaitais. Hélas, il faisait nuit. Je ne voyais rien d'autre que du noir, la couleur dans laquelle je me représentais mon avenir.

— Écoute, me dit-elle en me contraignant à tourner le visage vers le sien. La deuxième option n'est clairement pas faite pour toi, tu le sais autant que moi. Tu t'es fait tatouer une phrase très juste sur ton pec. *« Nous avons tous deux vies. La seconde commence lorsque nous nous rendons compte que nous n'en avons qu'une. »* Alors, ne gâche pas la seconde avec les fantômes de la première. Vis, Logan ! Détèle la remorque et laisse-la sur le bas-côté de la route. Le jour où tu seras prêt à aimer une autre personne qu'Abby, tu seras le premier à le savoir, et tu ne te poseras pas toutes ces questions. Avec Sarah, ce n'est pas de l'amour. Tu te complais juste à ressusciter quelques émotions.

Elle avait entièrement raison. Je la rejoignais complètement dans son raisonnement. C'était même le mien, il y a un mois et demi. Pourquoi m'étais-je laissé entraîner si facilement au fond du trou ?

— Qu'est-ce que je fais de Sarah ?

— Continue, si tu le souhaites, mais sois franc avec elle. Je l'aime bien, notre petite Sarah, elle est toute innocente et gentille. Elle ne mérite pas ça, et elle va vraiment être malheureuse si tu la trahis, parce que tu seras incapable de lui rester fidèle, ça se voit à dix bornes.

À quelques centimètres de son visage, j'apposai mon front sur le sien et la remerciai. Elle m'aidait énormément à ouvrir les yeux. Je lui en étais reconnaissant et elle avait entièrement raison.

— Allez, Sexy boy, file parler à Sarah avant que cette histoire dégénère !

Je me levai, décidé et encouragé par ses paroles. Je fis quelques pas et me retournai vers elle.

— Au fait, tu pars rejoindre ton père dans deux semaines, c'est ça ?

— Oui.

— Je n'ai jamais mis un pied au Texas encore. Ça pourrait être ma prochaine destination. Si tu veux un compagnon de route, je suis là.

Elle me tendit la main pour que je puisse l'aider à se relever. Ce que je fis aussitôt.

— Dans ton pick-up ?

Son sourire était ravissant. Elle ressemblait à une petite fille à laquelle on aurait proposé un tour de manège dans une fête foraine.

Je hochai la tête.

— Alors, avec plaisir, Logan, acquiesça-t-elle. Donc, pour Sarah et toi, c'est mort ?

— C'est-à-dire ?

— Si tu viens avec moi, tu n'iras pas à Seattle…

— Avec ou sans Sarah, je finirai au moins mon tour du pays. Je me le suis promis à moi-même, et j'irai jusqu'au bout.

— Amen ! ricana-t-elle.

# CHAPITRE 13

Désormais, vous me connaissez un peu mieux. Vous aurez donc sûrement remarqué un trait important de mon caractère. Je suis un mec, certes ! Mais un mec plutôt sensible.

Je me souviens qu'Abby me disait qu'elle aimait ça chez moi. Elle adorait le contraste de mon physique musclé, fort et de ma sensibilité. Elle parlait de mon « côté féminin ». Je n'ai jamais vraiment aimé ce terme-là, cela dit. Par contre, il était vrai que j'étais une véritable éponge à sentiments. La tristesse, la compassion, l'empathie, la détresse, et j'en passe… Tous ces ressentis m'affectaient. J'étais comme cela, il fallait que je fasse avec.

Quand j'étais gosse, j'ai perdu mon grand-père. Je ne devais pas être plus haut que trois pommes et âgé d'environ cinq ou six ans. J'étais très proche de lui. Nous faisions énormément d'activités ensemble, comme de la pêche, du bateau et des jeux de sociétés. Sa perte a été une rude épreuve. Je ne comprenais pas où il était parti et le réclamais sans cesse. Et, à l'âge où les petits garçons se retiennent de pleurer pour rester fort pour être des hommes, conformément au modèle que lui impose la société, moi, on m'a appris à évacuer la peine par les larmes et poussé à toujours dire tout ce que je ressentais. Au fil des années, je suis resté pareil à moi-même. Jusqu'au jour où mes yeux se sont asséchés et mes larmes se sont taries. Or les émotions ne m'ont jamais quitté et se sont même accentuées avec le temps. C'est une question de contre poids, je suppose.

De retour près de la terrasse, je croisai Joshua. Son visage rayonnant de joie et de satisfaction me fit penser qu'il venait de passer un agréable moment en compagnie de la petite brune qui s'écartait de son chemin pour s'en aller.

À sa hauteur, je lui attrapai fermement la nuque.

— Alors, tu étais passé où ?

Il ouvrit la bouche et, finalement, je me rétractai.

— Non. En fait, je ne veux pas savoir.

— Tu es sûr ? rit-il. Non, parce que ça valait le coup. Elles sont super hot les meufs dans le coin. Sérieux ! Je vais sûrement rester plus longtemps. Car wow ! Ça envoie du lourd par…

— Ferme-la, raillai-je à mon tour.

Je lui tapai furtivement l'arrière du crâne et montai sur la terrasse.

Je trouvai le regard de Sarah et dire qu'elle semblait inquiète serait un euphémisme. Ce qui passa dans ses yeux me tordit les tripes. Je me rendais compte de mon erreur. J'aurais dû lui parler d'Abby bien avant de m'engager avec elle. Je m'apprêtai à lui dire quelque chose qui allait sûrement la blesser. Mais Marley avait raison, je devais me montrer franc, si toutefois je voulais faire un bout de chemin avec elle. Cependant, le « toutefois » était incertain, puisque je n'avais pas envie de me projeter au-delà des deux semaines qu'il me restait à passer ici. Je pouvais éventuellement essayer de voir au-delà de sa ressemblance avec Abby et lui ouvrir mon cœur. Je pouvais également tenter de voir si j'éprouvais quelque chose pour elle.

— Au fait, me lança Joshua, je m'excuse d'avoir mal réagi tout à l'heure. Elle lui ressemble, mais, en parlant un peu avec elle, j'ai pu constater qu'elles sont assez différentes. Alors, voilà ! Désolé mec. Fait simplement attention de ne pas prendre tes fantasmes pour des réalités… Enfin ! Je veux dire…

— J'ai compris, le coupai-je dans son élan. Je vais aller lui parler d'Abby.

— Quoi ? Maintenant ?

— Non, non, dans trente ans…

Je lui lançai un léger coup de poing sur l'épaule et ajoutai :

— Évidemment, maintenant, idiot !

Sans commentaire, il haussa les épaules et fila rejoindre les filles à la table tandis que j'adressai un sourire à Sarah, puis lui fis un signe de tête pour qu'elle me suive.

À ma hauteur, elle s'enquit craintivement.

153

— Qu'est-ce qui t'arrive, Logan ? Pourquoi tu es parti comme ça ?

Je me décalai et lui tendis la main.

— Viens avec moi, j'aimerais te parler de… de quelqu'un.

— De quelqu'un ? s'étonna-t-elle, les sourcils froncés.

— Oui.

Elle obtempéra en m'attrapant la main. Après une petite marche sur le sable au bord de l'eau, je m'arrêtai et sortis mon portefeuille de la poche arrière de mon jean, prêt à lui dévoiler ma vie, mon secret, puis je m'assis en l'invitant à en faire autant.

— Il y a six ans, à l'université, j'ai fait la rencontre d'une personne extraordinaire. Au départ, ce n'était qu'une simple copine de cours. Puis, au fil des mois, je suis tombé éperdument amoureux d'elle. Nous sommes sortis ensemble durant trois ans et, un soir… un soir…

Je me tus. Plus un mot ne sortait. J'y étais pourtant arrivé avec Marley, pourquoi m'était-ce si difficile avec elle ?

J'essayai d'une manière différente.

— Elle s'appelait…

— Abby Carter, murmura-t-elle à ma place.

Mon cœur fit un bond. Mon cerveau un tilt. Quoi?!

— Comment… tu… tu sais ?…

Surpris, puis dérouté, j'en perdis encore mes mots.

— Logan, commença-t-elle à voix basse. Je suis peut-être timide et discrète, mais je suis loin d'être stupide. Tu as une vision du couple assez particulière, ce qui me fait penser que tu as dû vivre quelque chose d'assez dur dans ta vie amoureuse. Ensuite, tu m'as appelée Abby bien cinq ou six fois le soir où tu étais ivre. Cette nuit encore, tu as parlé dans ton sommeil en gémissant son prénom. Et comme nous nous sommes déshabillés du côté où j'ai dormi, ton jean était à portée de main et ton portefeuille dépassait de la poche. J'ai jeté un coup d'œil et…

— Tu as fouillé dans mes affaires alors que je dormais ?! Pourquoi ?

— Parce que je voulais des réponses. J'ai vu vos initiales sur la bague ; j'ai fait le lien ce soir en discutant avec ton frère.

— Non, non. Je veux dire, pourquoi ne pas m'en avoir parlé ce matin ?

— Je n'ai pas osé. Puis, c'est ton passé. Si tu veux m'en parler, c'est à toi d'aborder le sujet, pas à moi.

Perdu, je tentai de rassembler les pièces et en conclus vaguement :

— Donc, cette nuit, tu as vu la photo et la bague. Ce matin, tu as fait comme si de rien n'était. Tu as été affectée par la réaction de mon frère quand il t'a vue et, ce soir, il t'en a reparlé et toi… toi, tu… Tu ne dis rien ? Pourquoi ?

— Ce matin, tu m'as dit vouloir être mon petit ami. J'étais heureuse, je me suis contentée de ça, dit-

155

elle en haussant les épaules. Puis, ma ressemblance avec ton ex prouve que je suis ton style de fille, non ?

Son raisonnement incompréhensible fit que je m'emportai.

Comment pouvait-on être à ce point conciliant ?

— Tu ne lui ressembles pas, tu es presque identique !

— Presque, releva-t-elle. Mais je ne suis pas elle.

Je ne savais plus quoi dire. Je m'étais inquiété toute la journée pour, au final, découvrir qu'elle connaissait son existence et qu'apparemment, elle s'en fichait royalement.

— Pourquoi avez-vous rompu ? me questionna-t-elle ensuite.

Je soupirai longuement en reportant mon regard sur l'océan. Autant aller jusqu'au bout et lui apprendre au moins quelque chose.

— Elle est décédée il y a deux ans dans un accident de la route.

— Oh ! Je suis navrée.

J'émis un rire nerveux et reportai mes yeux sur elle. Je me passai de lui dire qu'elle ne devait pas être navrée, puisque si ce foutu accident n'avait jamais eu lieu, je n'aurais jamais été ici à lui parler. J'aurai été dans les bras de ma femme et sûrement dans notre lit à concevoir notre premier enfant.

Cette projection irréaliste me tuait.

— Elle te manque ?

— Rhô, Sarah ! râlai-je. Arrête d'être si compréhensive, si adorable avec moi... Je... ne le mérite pas.

Elle écarquilla les yeux de stupéfaction.

— Et, tu veux que je réagisse comment à cela ?

— Je ne sais pas, mais, au moins, comme tous ici ! Pourquoi pas me dire que c'est malsain ou...

— Quoi ? se scandalisa-t-elle. Tout le monde est au courant ?

*Eh merde !*

— J'en ai parlé avec Marley, oui. Et Kandy nous a surpris, mon frère et moi, en train d'en parler, cet après-midi.

Après m'avoir jeté un regard glacial et larmoyant, elle finit par détourner les yeux sur l'horizon.

— Réponds, Logan, est-ce qu'elle te manque ? insista-t-elle d'une voix tremblante.

— Oui.

— Est-ce que tu penses à elle lorsque je suis avec toi ?

Je plissai les paupières et soupirai.

— Oui. Mais...

Je n'eus pas le temps de me justifier qu'elle se leva d'un bond.

— Où tu vas ?

— J'ai besoin de réfléchir loin de toi, lâcha-t-elle d'une manière cinglante en se dirigeant déjà vers la maison.

Je ne la retins pas. Je comprenais qu'elle puisse avoir besoin d'encaisser le choc. Pour ma part, j'aurais très mal réagi. Cela m'aurait rendu fou. Mais il s'agissait de Sarah, c'est-à-dire la douceur et le calme incarnés, aux antipodes de la méchanceté.

Je restai là, seul, perdu dans mes pensées. Combien de temps ? Je l'ignorai. J'étais ailleurs, le regard fixé sur un point devant moi à regarder les allées et venues des vagues et profiter de l'air iodé. J'étais plongé dans un espace-temps parallèle, le même que celui où je me réfugiais depuis deux ans.

Je sursautai. Un bruit sourd me sortit de ma déconnexion avec le monde réel. Puis un second éclata, plus vif. Il provenait de derrière moi. Je me tournai. La lumière de la terrasse du Heaven était éteinte. La maison semblait tout aussi calme.

Un troisième fracas retentit. Je bondis. Le comptoir extérieur était toujours allumé. Je m'élançai, courus dans le sable, sautai sur le teck de la terrasse. Marley hurla. En pleurs, elle prit une bouteille et la jeta au sol, puis une autre. Elle était en train de vider les étagères sur le plancher.

— Oh ! Marley ! m'écriai-je. Qu'est-ce qu'il t'arrive ?

Elle cria à nouveau. Je ne pris pas la peine de contourner le comptoir, je sautai par-dessus. Elle était hystérique, incontrôlable. Je l'empêchai de justesse d'attraper une autre bouteille et lui bloquai les bras. Elle se débattit en me suppliant de la lâcher. Elle hurla à nouveau. Je criai plus fort qu'elle.

— Calme-toi ! Bordel !

La panique anima son visage baigné de larmes. Elle s'effondra dans mes bras. Je la remontai et la soutins par la taille. Elle tremblait et sa respiration était saccadée. Elle sanglotait, gémissait. Je passai une main sur sa nuque et ramenai sa tête contre mon torse en la berçant.

— Chut… calme-toi, susurrai-je à son oreille.

Elle finit par s'apaiser.

— Il… il m'a appelée, sanglota-t-elle.

— Qui ? Ton ex ?

— Non. Il veut de l'argent, sinon… sinon… il le tue. Je ne veux pas perdre mon père, Logan. Il est tout pour moi.

# CHAPITRE 14

La situation de Marley se dégradait. Je voulais l'aider, mais elle devait me parler, m'expliquer de A à Z ce que voulait son maître-chanteur. Nous devions comprendre pourquoi elle, pourquoi son père ?

Blottie contre moi, elle tremblait toujours et peinait à rester debout. Je me baissai et la soulevai pour la porter dans mes bras. Elle passa spontanément les siens autour de mon cou et se laissa aller contre moi. Je l'amenai sur la terrasse et m'assis à ses côtés sur l'un des canapés après l'y avoir déposée. Elle vint caler sa tête contre mon épaule tandis que j'enlaçai mes doigts aux siens.

— Combien demande-t-il ?

— Cent mille dollars…

— Quoi ?! m'estomaquai-je. Comment dois-tu lui transmettre cet argent et quand ?

— Il ne me l'a pas dit, murmura-t-elle tout en reniflant.

— Tu n'as pas reconnu sa voix ou autre ? Un bruit... Quelque chose ?

— C'était une voix truquée.

— Donc ça pourrait être une femme ?

Elle haussa les épaules. Passant ma main sur son dos, puis dans ses cheveux, je réfléchis à une solution. Après avoir tourné et retourné tous les scénarios possibles dans ma tête, je retins la seule solution qui me parut adaptée.

— As-tu cet argent ?

— Non. Je dois avoir des économies aux alentours de trente mille, quarante mille.

— Si ça peut servir, je suis arrivé à économiser trente mille dollars. Je te les prête, tu me les rendras plus tard.

C'était l'argent mis de côté pour mon tour du monde en mémoire d'Abby. Mais j'avais confiance en Marley. J'étais certain qu'elle me les rendrait, une fois ses soucis réglés.

Marley me regarda comme si j'étais devenu fou. Elle en resta bouche bée un bref instant.

— C'est très gentil de ta part, mais il manque trente mille dollars.

— Marley, commençai-je en m'écartant un peu. Il va falloir que tu négocies et, surtout, tu devrais fermer le bar et te rendre chez ton père, immédiatement.

— Non, Logan, vos contrats ne sont pas arrivés à leur terme et...

— Écoute, si tu en parles aux filles, elles comprendront. Pour ma part, je te rends ma démission dès demain.

Elle recula et me fixa, hagarde.

— Non, Logan ! J'ai encore besoin de toi, ici. Tu ne peux pas me laisser en plan comme ça…

— Je ne te laisse pas en plan… Demain, on part chez ton père !

— Log…

— Marley ! Tu dois agir.

Sur cette parole, je me levai et me plaçai derrière le comptoir. Je me munis d'un feutre et d'une feuille et les lui amenai.

Je les lui tendis. Elle les observa, déroutée.

— Qu'est-ce que tu veux que je fasse avec ça ?

— Écris !

Elle s'en saisit.

— Écrire quoi ?

— Fermeture exceptionnelle. Retour, telle date. Je n'en sais rien, moi !

Elle soupira, agacée, perdue.

Je m'accroupis en face d'elle, posai une main sur sa cuisse et plongeai mon regard dans le sien pour donner plus d'impact à mes paroles.

— Marley, si tu veux entrer dans son chantage, O.K ! Mais, assure-toi du sérieux de ses menaces. Fais-le au moins en face à face. Tu n'es plus seule. Tu n'as pas à avoir peur. Je suis là et je suis persuadé que Sarah et Kandy nous suivront. Peut-être même mon frère. On se connaît depuis peu, je te l'accorde, mais presque deux mois à vivre vingt-quatre sur vingt-quatre ensemble, cela soude. Non ?

Je vis passer des tas d'interrogations dans ses yeux. J'y perçus le doute ainsi que cette fragilité qu'elle ne montrait que très rarement. Elle hésitait.

— Tu as raison, abdiqua-t-elle finalement en se penchant sur la table basse.

Elle posa le papier et rédigea l'écriteau de fermeture. Je repris place sur le canapé à ses côtés, puis mon regard fut attiré par des silhouettes sur la plage.

— C'était quoi, ce vacarme ? demanda Kandy, enveloppée dans un plaid.

Je jetai un coup d'œil à Marley. Elle devait se lancer, leur expliquer. Aussi, je risquai un regard vers Sarah vêtue de son pyjama, mais elle baissa les yeux.

— Je vais fermer le bar, commença Marley.

— Pourquoi !? se récria aussitôt Kandy, stupéfaite, en s'asseyant à même le sol.

Mon frère qui, étrangement, avait perdu sa langue, l'imita. Quant à Sarah, elle resta plantée devant nous sans mot dire. Je lui tendis une main pour qu'elle vienne s'asseoir sur mes genoux. Je perçus son indécision, mais elle finit par s'y résoudre.

Tandis que Marley leur expliquait la situation, je plongeai mon nez dans les cheveux de Sarah et me délectai de leur parfum tout en fermant les yeux. Tout d'abord tendue, elle finit par se relaxer et sa main caressant mon bras me fit un bien fou. Durant ces dernières années de célibat à papillonner de fille en fille, j'avais oublié la douceur de se sentir aimé et choyé. Cet échange de tendresse était un vrai régal à redécouvrir.

— Alors voilà, Sexy boy et moi partons demain pour le Texas, poursuivit Marley.

Sarah se décala et riva son regard perplexe au mien.

— Tu y vas aussi ? m'interrogea-t-elle.

Je passai mon index sur sa joue et lui proposai.

— Viens avec nous.

Elle riva ses yeux sur Marley qui, en guise d'invitation, lui sourit.

— Vous comptez y rester combien de temps ?

— On ne sait pas. Le temps de régler le problème, dis-je.

— Je dois reprendre l'université dans trois semaines à Seattle.

Si Marley ne m'en avait pas parlé, je n'aurais jamais su qu'elle étudiait encore. J'avais juste vaguement compris qu'elle était de Seattle.

Je la rassurai.

— Tu y seras, Sarah. Promis.

— Alors, je viens, lâcha-t-elle doucement.

Nous nous étions ensuite tous tournés vers Kandy qui n'avait plus décroché un mot depuis les explications de Marley. Aucune remarque. Aucune plaisanterie. Rien. Ça ne lui ressemblait pas. Elle tirait une tête de six pieds de long et se contentait d'écouter, perdue dans ses pensées.

— Kandy ? demanda Marley. Tu nous suis ?

— Disons que j'aimerais avoir mon fric, balança-t-elle de but en blanc. Je ne suis pas venue bosser ici pour vos beaux yeux.

— Tu seras payée pour le mois entier. Vous toucherez tous les trois l'intégralité de vos salaires.

— Moi aussi ? railla Joshua qui se réveillait enfin. J'aurais ma paye ?

Marley émit un léger rire et répliqua.

— Dans tes rêves, mini Sexy boy !

Nous éclatâmes tous de rire sauf Kandy qui, sans plus attendre, se leva.

— Je vais me coucher.

Marley s'enquit.

— Tu n'as pas répondu, Kandy ? Tu viens avec nous ?

— Je verrai demain. Bonne nuit.

Elle s'en alla.

— Qu'est-ce qu'elle a, depuis cet après-midi ? Elle est méchante et aigre, remarqua Sarah.

— Si toi, tu n'es pas au courant, nous, encore moins, rétorqua Marley.

Elle n'avait pas tort. Sarah et Kandy étaient proches, mais Sarah resta aussi perplexe que nous, et, mon frère, n'en parlons pas. Puis, il était plutôt du style à s'en contrefoutre. Il était ici pour s'amuser. Les mésaventures et les états d'âme des uns et des autres lui importaient peu. Par contre, je remarquai qu'il avait du mal à nous regarder, Sarah et moi. Ce que je pouvais comprendre. Il peinait à encaisser et devait sûrement me revoir dans les bras d'Abby.

166

Marley finit par fixer l'écriteau sur le rideau du bar et nous finîmes par rentrer. Dans le couloir de l'étage, je m'arrêtai devant la porte de la chambre de Sarah. Je ne savais pas si elle avait eu le temps de réfléchir et si elle m'en voulait vraiment, ceci dit, je voulais achever notre conversation. S'apercevant de mon hésitation, elle m'invita à entrer. Une fois à l'intérieur, j'allai m'asseoir sur le rebord du lit.

Elle referma et resta adossée à la porte.

— Tu m'en veux ? lâchai-je.

— Non.

— Donc, tu…

Je me tus lorsqu'elle ôta son haut de pyjama pour me dévoiler sa poitrine nue. Je serrai la mâchoire pour ne pas rester bouche bée comme un idiot. Lentement, elle s'avança vers moi, le regard fiévreux. Je la trouvai étrangement sûre d'elle et de ce qu'elle souhaitait tout à coup. C'est-à-dire moi. Je ravalai difficilement ma salive et fixai ses beaux et délicieux seins qui s'exhibaient juste à hauteur de mes yeux. Elle vint s'asseoir à califourchon sur mes cuisses et, sans plus attendre, elle s'empara de ma bouche.

— Fais-moi l'amour, Logan, susurra-t-elle contre mes lèvres.

Elle enfouit ses doigts dans mes cheveux et s'appuya contre moi pour me faire basculer en arrière. Je me laissai aller et, tout en m'allongeant, je savourai ses baisers voraces et enflammés. Sa façon de se trémousser me donna envie de lui arracher son pantalon. Mais, au lieu de ça, mon esprit s'embrouilla.

Il m'était impossible de m'enlever Marley de la tête. Diverses images se chevauchèrent, et cette vision me troubla. J'avais envie de Marley, et non de Sarah. J'étais en train de déraper méchamment…

# CHAPITRE 15

Nous avions plus de vingt-deux heures de route pour nous rendre à *Freeport* au Texas. Nous roulions depuis déjà plus de huit heures. Nous avions pris mon pick-up comme le souhaitait Marley. La banquette comportait trois places, nous nous relayions au volant, et les deux autres passaient dans la remorque. Ce n'était pas autorisé, mais c'était une bonne partie de rigolade. Mon frère, par exemple, qui nous avait suivi malgré la réticence de mes parents, avait le sourire jusqu'aux oreilles lorsque c'était son tour. Il était même difficile de l'en faire sortir.

Nous étions partis le matin sur le coup des onze heures, puisque Kandy ne s'était pas encore décidée. Nous étions arrivés à la convaincre et, en parfaite peste qu'elle était quand elle le voulait, elle avait mis un temps fou avant de finir de préparer ses affaires. L'ambiance était plutôt détendue, légère. Si l'on faisait exception des quelques pics qui fusaient de temps à autre entre les filles. Je ne m'y attardai pas trop. C'était des histoires de filles, et il valait mieux ne pas se mettre au milieu au risque de se retrouver le seul fautif de l'histoire.

Nous avions décidé de suivre les souvenirs de Marley et les itinéraires qu'elle empruntait avec son père dans son enfance et, ce soir-là, nous allions bivouaquer. Donc, à une demi-heure de route de Tucson en Arizona, nous quittâmes l'interstate 10 et prîmes un chemin proche d'une bourgade nommée *San Lucas.*

La nuit tomba. J'avais pris le volant depuis bientôt trois heures. Je commençais à piquer du nez. Kandy et Joshua étaient dans la remorque. Ils ne dormaient pas. Je les voyais s'agiter dans le rétroviseur. À l'avant, dans l'habitacle, le silence s'était installé, nous nous laissions bercer par la musique diffusée à la radio. Sarah dormait contre mon épaule et Marley semblait perdue dans ses pensées, le front posé contre la vitre passager. Je cherchais un endroit tranquille où pouvoir garer la voiture et installer notre bivouac pour la nuit.

Je roulai doucement sur ce chemin de terre et pris un nid de poule. Sarah bougea, mais ne se réveilla pas. Marley se tourna et je sentis son regard insistant posé sur moi.

— Quoi ? murmurai-je en lui jetant un rapide coup d'œil.

— Elle bave sur ton épaule.

J'émis un léger rire.

— Effectivement.

Elle secoua la tête, dépitée.

— Quoi encore ? dis-je, vaguement agacé.

— Rien.

J'insistai.

— Marley !?

— Vous êtes trop mignons, tous les deux, se moqua-t-elle.

À l'abord d'un champ, je garai le pick-up et éteignis le moteur.

— Vas-y, sors le fond de ta pensée.

Elle posa son index sur sa bouche, empoigna la portière et chuchota avant de sortir.

— Chut ! Tu vas réveiller la Belle au Bois dormant.

Gloussant, elle descendit du véhicule et claqua la portière. Sarah sursauta et je ne sais pourquoi, mais je devinai que c'était l'objectif de Marley.

*Bien joué… !*

— Nous sommes où ? me demanda Sarah, encore tout endormie.

— On s'arrête ici pour la nuit.

Je l'embrassai sur le front et sortis rejoindre les autres.

La nuit dernière, j'avais fait l'amour à Sarah en tentant vainement de m'extraire Marley des pensées. Vous allez me dire que je suis ignoble, un salaud ou le dernier des abrutis. Je l'admets. Mais, le point positif dans l'histoire est que je n'avais pas pensé une seule seconde à Abby. C'était comme avant Malibu. J'avais partagé une bonne baise avec une fille, point !

Était-ce le fait que Sarah se soit montrée aussi entreprenante ? Je n'en savais rien.

Avant notre départ, ce matin-là, je m'étais senti mal à l'aise en prenant le petit déjeuner. Étrangement, Marley m'avait semblé différente. Je ne savais pas comment l'expliquer. Premièrement, elle était, malgré ses problèmes, heureuse de partir rejoindre son père, et ensuite, elle se montrait douce et très attentionnée envers moi. J'avais cette déroutante impression qu'elle pouvait lire dans mes pensées, et donc qu'elle savait exactement ce qu'il s'était passé dans ma tête cette nuit.

Ce sentiment m'habitait encore ce soir-là. Il m'avait poursuivi toute la journée. J'allai retrouver Marley. Elle sortait les sacs de couchage de la remorque tandis que Joshua et Kandy se chamaillaient comme deux ados attardés. Leur petit passage dans la remorque les avait rapprochés, semblait-il. Ma foi, pourquoi pas ? Au moins, Kandy avait retrouvé le sourire.

— C'était quoi, cette tête ? demandai-je à Marley.

Elle sourit.

— Quelle tête ?

— Pourquoi cette remarque ?

— À quel sujet ? feinta-t-elle en me bousculant pour passer.

Les bras chargés, elle se dirigea vers un arbre. Elle posa sa charge contre le tronc. J'attrapai les deux sacs à dos contenant la nourriture et la rejoignis.

— Tu vas répondre à toutes mes questions par d'autres questions ?

— Ça dépend. Tu veux que je continue ?

— Marley !

— Logan, minauda-t-elle en fuyant vers le pick-up.

J'arrivai à la rattraper de justesse par le bras. Elle me lança un regard faussement noir. Elle se jouait de moi. Son sourire radieux parlait pour elle.

— Marley, qu'est-ce qui t'arrive depuis ce matin ? Pourquoi tu agis comme ça avec moi ?

— Et toi ?

Ses questions m'énervaient à un point tel que je faillis m'énerver. Mais elle poursuivit avant que je puisse ouvrir la bouche.

— Tu me regardes bizarrement depuis ce matin.

— Moi ?

— Oui. Toi.

— Je…

Je ne finis pas ma phrase. Qu'aurais pu-je lui dire ? J'ai fantasmé sur toi toute la nuit ? Non. Ma vie était bien assez compliquée comme cela pour en rajouter.

— Tu quoi, Logan ?

Son sourire s'élargit.

— Non, allez ! Laisse tomber, dis-je en descendant vers la voiture tandis qu'elle éclatait de rire.

— Qu'est-ce qu'elle a, Marley ? me demanda Sarah lorsque je la rejoignis.

Je haussai les épaules.

— Aucune idée.

Je m'emparai du dernier sac et pivotai pour m'éloigner. Elle m'agrippa par le bras.

— Logan ! J'ai l'impression que tu me caches quelque chose, depuis ce matin.

— Je ne te cache rien, qu'est-ce que tu racontes ?

— Toi et Marley, vous… vous…

Elle commença à bégayer et se tut. Je voulais désespérément changer de conversation, mais elle ne me quittait pas des yeux. Elle attendait une réponse. Étais-je si transparent ?

Je devais me montrer convaincant. Je laissai tomber ma charge et la pris contre moi.

— Hey poupée, tout va bien. D'accord ? Je ne te cache rien et on ne faisait que rigoler avec Marley.

Sarah paraissait partagée entre le doute que lui inspirait ma réponse et son envie d'approfondir. Mais, à mon grand soulagement, elle laissa tomber.

Nous établîmes notre bivouac autour de l'arbre et mangeâmes nos sandwichs en échangeant quelques anecdotes sur nos vies. Évidemment, mon frère ne put s'empêcher de balancer des histoires me concernant.

Quelques heures plus tard, j'étais allongé dans mon sac de couchage auprès de Sarah, tentant vainement de trouver le sommeil. Je finis par me lever doucement pour ne réveiller personne et m'aperçus de l'absence de Marley. Je la retrouvai allongée dans la remorque de mon pickup, contemplant les étoiles, une canette à la main.

— Tu ne vas pas dormir ? m'enquis-je en adoptant la même position.

— Je ne vais pas tarder. Je finis ma bière.

Je rivai à mon tour les yeux au ciel.

— Et toi ? poursuivit-elle.

— Je ne trouve pas le sommeil.

Épuisé par la nuit d'insomnie passée à penser à elle et la fatigue accumulée par le voyage, je rêvais de dormir. Mais j'en avais marre de tourner dans mon sac de couchage.

— Alors ? lâcha-t-elle. Deux jours avec la petite Sarah et tu n'es toujours pas parti en courant ? Félicitations, Sexy boy.

— Comme quoi, quand on veut, on peut.

Elle rit.

— Et dire qu'il y a deux mois, tu prônais le célibat. Qu'est-ce qui t'est arrivé ?

— Les gens changent.

Elle ricana encore.

— Tu vas me sortir des banalités encore longtemps ?

— Qu'est-ce que tu veux que je te dise ?

Elle prit place sur son flanc droit et me dévisagea. Je fis de même tandis qu'elle se lança dans un monologue.

— Je ne sais pas, mais tu pourrais me dire : « Écoute, Marley, je vis une belle histoire avec Sarah. Il fallait bien que l'amour me tombe dessus un jour. » Tu vois, quelque chose de plus profond que tes banalités à deux balles qui ne convainquent que toi.

— Quand on veut, on peut et les gens changent, c'était profond aussi, raillai-je.

— Tu es désespérant.

Je ripostai.

— Et toi, agaçante.

— Moi ? s'offusqua-t-elle en gloussant. Qu'est-ce que j'ai fait ?

— Tes sous-entendus depuis ce matin. Je sais que tu n'approuves pas ma relation avec Sarah.

— Tu veux que je te dise ce que je n'approuve pas ? commença-t-elle avant de venir s'asseoir à califourchon sur mon bas-ventre.

Enlaçant mes doigts aux siens, j'acquiesçai en hochant la tête.

— Ça ! dit-elle en regardant nos mains et sa position.

— C'est toi qui me grimpe dessus.

— Tu ne me repousses pas.

Elle n'avait pas tort.

— Tu veux que je te repousse ?

— Ah, ah, ricana-t-elle. Bien tenté, Sexy boy, mais n'essaie pas de retourner la situation à ton avantage et admets que ce n'est pas le comportement d'un mec qui s'engage avec une fille. Imagine si la douce Sarah se réveille et nous voit comme ça. Tu crois qu'elle va apprécier ?

— Elle fera avec.

Dépitée par ma réponse qui, je dois l'admettre, était pitoyable, elle secoua la tête, aussi j'essayai de réprimer vainement ma soudaine excitation. Elle s'agitait sur moi, et les images de cette nuit ne m'aidaient pas à garder le contrôle.

— Arrête de m'allumer, fis-je.

— Sinon ?

Sinon, je n'allais plus pouvoir répondre de mes actes et te prendrai, là, sur cette remorque, me dis-je, mais je me gardai de le lui dévoiler. J'avais clairement envie d'elle. C'était exquis de l'avoir à portée de main.

— Sinon, je vais crier « au viol ! », plaisantai-je.

Elle éclata d'un rire vif et puissant. Je fus obligé de mettre ma main sur sa bouche et de la réprimander pour qu'elle se taise et ne réveille personne. Elle se mordit une lèvre et cette mimique me fit carrément perdre la tête. J'avais moi aussi envie de la lui mordre, comme j'avais envie de lui attraper les hanches et de la planter avec vigueur contre moi.

Elle se redressa légèrement afin de vérifier que tout le monde dormait et, quand je la vis adopter à nouveau sa position précédente, je compris qu'elle l'appréciait autant que moi. Spontanément, je posai mes deux mains sur ses cuisses et les remontai sur ses hanches. Je les arrêtai à l'ourlet de son débardeur. J'aurais aimé les glisser dessous et sentir sa peau, mais je m'abstins. Elle ne broncha pas et me fixa d'un regard espiègle un court instant puis, son visage s'adoucit.

— Merci, me dit-elle.

— Pour ?

— De m'aider. D'être là.

— C'est normal. On m'a appris à toujours secourir les belles damoiselles en détresse.

177

— Tu sais quoi, Sexy boy ? Si nos vies n'étaient pas si compliquées, je me battrais contre la petite Sarah…

— Te battrais ?

— Pour t'avoir, avoua-t-elle. Tu es quelqu'un de bien. Elle a de la chance, malgré tout. Tu es perdu, oui ! Mais le jour où tu vas tomber amoureux d'elle pour ce qu'elle est — parce que je sais que tu essaies vraiment —, elle sera la plus heureuse du monde.

Ce qu'elle m'avait avoué me fit du bien. Elle avait raison : j'essayais de toutes mes forces de tomber amoureux de Sarah. Je m'accrochais à ce sentiment, cet espoir, mais…

— Marley ?

— Hum… ?

— Tu gagnerais.

— Je gagnerais, c'est-à-dire ?

— Oui, contre Sarah, tu gagnerais.

Un large sourire aux lèvres, Marley était prête à répondre quand, soudain, j'entendis une voix. Je lui fis signe de ne rien dire et d'écouter. Quelqu'un était en train de se disputer avec une autre personne dont la voix était imperceptible. Marley se délogea de dessus moi et nous nous redressâmes pour observer. Je remarquai rapidement que Kandy n'était plus dans son sac de couchage. Je le signalai tout bas à Marley. Je descendis de la remorque, suivi par cette dernière et, lorsqu'on passa un buisson pour aller à la rencontre de Kandy, elle raccrocha son téléphone en jurant.

— Kandy ? s'enquit Marley. Ça va ?

— Non, lâcha-t-elle, hors d'elle.

Je m'avançai et me souciai à mon tour.

— Qu'as-tu ?

Marley interrompit ma marche en posant une main sur mon épaule.

— Attends, laisse, je pense savoir.

— Oui, s'égosilla Kandy en la fusillant du regard. Pourquoi tu ne me l'as pas dit ? Pourquoi m'avoir caché qu'ils étaient venus pour moi ?

Marley s'accroupit devant elle.

— Ils sont aussi venus pour moi, Kandy. Mais il est vrai qu'ils ont demandé si je t'avais vue. Sarah et moi n'avons rien dit, je te le promets. On voulait t'aider.

— Sarah aussi est au courant ?

Marley hocha la tête.

— Il sait où nous sommes, continue Kandy.

— Qui ? Celui qui te recherche ?

— Oui.

— Comment ?

Elle secoua son téléphone.

— Il me trace.

J'étais totalement perdu. Je ne comprenais absolument rien à leur conversation.

— Euh... les filles. Vous pourriez m'expliquer ? Car, là, je ne pige que dalle.

— La police est aussi venue pour cela, l'autre fois. Kandy semble avoir fait... une fugue. C'est ça ? finit Marley en s'adressant à elle.

Kandy avoua.

— Oui. Il y a quatre mois. J'ai fui ma famille. Mon père essaie de m'obliger à revenir, mais je n'en ai pas envie. Je le hais. Je les hais tous. Je suis l'indigne fille de Paul Stentor. Je suis une pauvre dépravée qu'il faut remettre sur le droit chemin en la forçant à épouser un gros connard, vieux et moche. Je ne veux pas de cette vie.

Je tombais des nues. Kandy était la fille du milliardaire Paul Stentor ! Un entrepreneur qui avait fait fortune dans le matériel et les engins nautiques. Ses yachts étaient les plus prisés des riches et des célébrités. J'avais d'ailleurs été serveur sur l'un de ces bateaux de luxe durant mon séjour à Miami. Ils étaient majestueux !

— Tu penses qu'il va venir te chercher ? demandai-je, troublé et affecté par son sort.

Le visage dévasté, elle hocha vivement la tête et se recroquevilla sur elle-même.

— S'il te trace avec ton portable, jette-le, non ?

Je ne voyais que cette solution.

— Il sait où nous allons. Ce n'est pas la peine.

— Comment est-ce possible ? s'enquit Marley.

Kandy rit amèrement.

— Vous êtes déjà tous fichés. Mon paternel est un maniaque du contrôle. Il connaît jusqu'aux dates de vos varicelles, l'adresse de vos grands-parents et la date de naissance de votre chien et même où vous avez acheté votre premier poisson rouge, railla-t-elle.

À ces mots, je pris Marley à part. Une idée me traversa l'esprit.

— On pourrait peut-être se servir des informations de son père pour démasquer le connard qui menace le tien ?

— Non, Logan. On ne peut pas faire ça à Kandy. Cela voudrait dire qu'il nous faudrait la livrer à sa famille. C'est hors de question.

— Tu as entendu ? Il va de toute façon venir la chercher.

— Eh bien, nous allons l'en empêcher.

# CHAPITRE 16

Le lendemain, nous reprîmes la route dans une ambiance encore plus légère que la veille. Marley et Kandy avaient parlé une bonne partie de la nuit. Ce matin-là, elles étaient d'ailleurs toutes les deux montées dans la remorque pour continuer leur nuit. À l'avant, nous discutions de tout et de rien. Mon frère semblait s'intéresser un peu davantage à Sarah. Ce qui m'arrangeait parce qu'en fait, je ne m'étais jamais attardé sur sa vie familiale, sa vie passée. À vrai dire, je ne connaissais absolument rien d'elle en dehors de Seattle et de l'université. J'avais tellement voulu cultiver sa ressemblance avec Abby que je n'avais inconsciemment pas souhaité en savoir davantage sur elle et je m'en rendis compte lorsque je les écoutais parler de sa famille. Elle avait un frère, apparemment, qu'elle admirait beaucoup et qui lui manquait énormément. Quant aux raisons qui l'avaient poussée à venir travailler au Heaven en

183

Californie, elle resta dans le vague. Une envie de bouger, de vivre une expérience hors norme, loin de son quotidien.

On s'arrêta sur une aire de repos à trois heures de route de Freeport, cette bourgade portuaire du sud du Texas, pour en repartir dix minutes plus tard après nous être dégourdi les jambes. Joshua prit le volant tandis que Sarah et moi montâmes dans la remorque.

Calée dans mes bras, Sarah soupira.

— Qu'est-ce que tu as ? m'enquis-je, inquiet.

— Je peux te poser une question ?

— Oui.

— Si je n'étais pas venue travailler au Heaven, tu serais sorti avec Marley ?

Surpris, je manquai de m'étouffer. Qu'est-ce qui lui prenait de me demander ça ?

— Aucune idée, dis-je, lâchement.

Oui, j'étais lâche. Disons que je ne serais sûrement pas sorti avec elle, mais j'aurais couché avec elle, c'était certain, après, je ne sais pas. Aujourd'hui, j'en suis persuadé. Mais les choses ne s'était pas passées ainsi, alors à quoi bon l'envisager?

— Elle te plaît, non ?

— Pourquoi tu me poses ces questions ?

Elle haussa les épaules.

— Comme ça…

— Je la trouve belle, oui, avouai-je. Mais toi aussi, tu es magnifique.

Elle vint plonger ses yeux brillants dans les miens et, dans un sourire timide, elle me demanda.

— Tu as déjà réfléchi à l'après ?

— L'après quoi ? dis-je, perdu.

— Nous deux ? Après Freeport ?

— Oh ! Euh…

Qu'aurais-je pu lui répondre ? Avais-je pensé à l'avenir ? N'étant pas capable de voir plus loin que le lendemain à cette époque, il m'était difficile de trouver une réponse susceptible de ne pas la blesser.

— Je n'y ai pas encore réfléchi.

— D'accord.

Elle reprit sa position, la tête appuyée sur mon épaule.

— Et toi ? risqué-je.

Était-elle au stade du « *Je suis éperdument amoureuse de toi* » et en était-elle à envisager un avenir commun ?

Elle haussa à nouveau les épaules. Je la poussai à se confier.

— Tu sais, tu peux me dire ce que tu ressens.

Elle rougit et, comme à chaque fois qu'elle avait cette réaction, je trouvai cela adorable.

— J'aimerais beaucoup rester avec toi, finit-elle par se confier.

Quand le silence s'installa, je me laissai aller à imaginer ce qu'il pourrait se passer entre nous, mais tout restait trouble. Aurais-je été capable d'arrêter mon tour du monde pour me caser ? Aurais-je pu lui présenter mes parents ? Mon oncle ? Qu'est-ce qu'ils auraient pensé d'elle ? Si tout s'était bien passé,

185

aurais-je dû ensuite la suivre à Seattle et rencontrer sa famille ?

Finalement, la seule bonne question était : en avais-je envie ?

Aussitôt, Marley me vint à l'esprit. Alors, je me tournai légèrement et l'observai à travers la vitre. Comme si elle avait senti mon regard posé sur elle, elle pivota la tête et nos regards se croisèrent. Elle me sourit. Je lui décochai un clin d'œil et un sourire en coin.

Je n'avais pas le droit de ressentir ce léger pincement au cœur. Cet effet qui me faisait penser que toutes mes précédentes questions trouveraient un sens avec Marley.

Aurais-je été capable d'arrêter mon tour du monde pour elle ?... Non, parce qu'elle aurait été assez dingue pour me suivre.

Aurais-je pu lui présenter mes parents ? Mon oncle ? Qu'est-ce qu'ils en auraient pensé ?... Ils auraient été tous agréablement surpris de me voir avec elle et l'auraient adorée. C'était mes seules certitudes.

Malgré ces réflexions qui me hantèrent une bonne partie de la journée, le reste du trajet se passa à merveille. Je repris le volant et nous arrivâmes au domaine des Hopkins sur le coup des vingt-deux heures. Je fus tout d'abord impressionné par la superficie de ce ranch perdu en pleine campagne texane. Je garai le pick-up devant une immense maison de style victorien qui était, soit dit en passant, très rare dans cette région.

— Bordel de merde ! C'est quoi, cette baraque ? s'exclama Joshua tout aussi estomaqué que moi lorsqu'il descendit de voiture.

Sous le porche, faisant tout le tour de la bâtisse, deux hommes d'une quarantaine d'années fumaient une cigarette et buvaient leur bière contre la balustrade. Lorsque nous montâmes les marches, l'un deux salua Marley en haussant son chapeau de cowboy.

— M'selle Marley.

— Max, Dave, les salua-t-elle à son tour avec tout autant de détachement qu'eux.

Je remarquai que leurs yeux se dirigèrent instantanément sur ses fesses au moment où elle leur passa devant. Je serrai la mâchoire avec l'envie viscérale de leur foutre une droite à chacun. *Abrutis... !*

D'un geste possessif, je le conçois, je ramenai Sarah contre moi après leur avoir serré la main.

— Mon père est encore en bas ? demanda Marley en empoignant la moustiquaire.

— Non M'selle. Ils viennent de le mettre au lit.

Nous suivîmes Marley à l'intérieur. Le hall était à la mesure de l'extérieur du bâtiment et s'ouvrait sur un escalier colossal qui menait à l'étage. Tout était tellement démesuré que cela en donnait le vertige... Dans la salle à manger, une dizaine de personnes, pour la plupart des hommes, des cowboys, étaient assis autour d'une interminable table en bois. Ils finissaient leur repas. En nous voyant gagner la pièce, ils se levèrent tous tour à tour, sauf une dame corpulente aux cheveux grisonnants.

— Ma petite, te voilà enfin de retour, s'enthousiasma-t-elle en tendant les bras vers Marley.

— Marita !

Marley se précipita dans les bras de la vieille dame et l'étreignit avec force et amour.

— Comment va papa ?

— Ce n'est pas un de ses meilleurs jours, ma pauvre chérie.

— Je peux aller le voir ?

— Bien sûr, ma chérie. Vas-y. Il demandait après toi tout à l'heure.

Alors que tous reprenaient place devant leur assiette, Marley se tourna vers nous.

— Je vous présente mes amis.

Elle cita nos prénoms à tour de rôle. Je me contentai d'un signe de main et restai en retrait. Je suspectais déjà chacun d'entre eux. J'observai attentivement leurs faits et gestes. Ce fut d'ailleurs grâce à cela que je remarquai un regard insistant sur Sarah. Je reportai alors mon attention sur cette dernière qui se mit à rougir et baisser les yeux.

*Bah voyons...! Il ne fallait pas vous gêner pour moi, surtout !*

Je décidai finalement d'aller faire un tour de table pour serrer la main à tout le monde. Et j'allai d'ailleurs en premier vers ce type d'une trentaine d'années aux cheveux longs qui lorgnait un peu trop ma... ma copine.

— Logan.

— Ricardo, se présenta-t-il.

Sarah me suivit et le salua. Même si j'étais perdu dans mes sentiments envers elle et que, jusqu'à présent, je n'avais pas poussé les choses pour mieux la connaître, j'avais bien capté son attitude quand quelqu'un l'intimidait. Et ce Ricardo la mettait très mal à l'aise.

Je finis mon tour de table lorsque Marley me rejoignit.

— Faites comme chez vous, je vais monter voir mon père. D'accord ?

J'acquiesçai, légèrement irrité. Elle remarqua mon agacement et me prit à part, près de la cheminée.

— Qu'est-ce qu'il se passe ? Tu as l'air énervé ?

— Rien, tout va bien. Ce doit être la fatigue du voyage, éludai-je. Tu veux que je t'accompagne ?

— Non, ça ira. Je vais aller lui faire un bisou et après, on vous attribuera des chambres. Tu pourras te reposer.

Je souris et la remerciai, mais quand elle fit un pas pour partir, je la retins, intrigué.

— Tu le connais, le type là-bas ?

Je lui indiquai Ricardo d'un geste du menton.

— Non. Ce doit être un saisonnier ou un nouvel employé.

Elle se mordit une lèvre et ses yeux pétillèrent de malice.

— Mais, en tout cas, il est plutôt appétissant, rajouta-t-elle. J'ai hâte de faire plus ample connaissance…

— Arrête ! Il ne ressemble à rien.

Elle me jeta un regard perplexe. L'intonation de ma voix était peut-être un peu trop sèche et révélatrice du fond de ma pensée.

— Je plaisantais, Logan…

— Marley, tentai-je de masquer ma jalousie. Il faut faire attention à tout le monde, ici. Quelqu'un se paie ta tête.

— Oui, je sais. Mais pourquoi directement faire une fixette sur lui ?

— Je ne sais pas. Je ne le sens pas ce mec.

— Alors, on fera attention à lui, rit-elle en me tapotant l'épaule. Je me porte même volontaire, si tu veux ?

Je la réprimandai du regard.

— Marley… !

— Je rigole, je rigole… détends-toi !

Je secouai la tête, dépité.

Sur cette parole, elle me laissa. Je retournai auprès de Sarah qui discutait avec Kandy et Joshua dans un coin de la pièce.

— De quoi avez-vous parlé avec Marley ? me demanda Sarah.

— Rien d'important, dis-je, bourru.

Elle ne répliqua pas, mais je vis passer un éclair d'agacement dans son regard.

Je ne quittai pas Ricardo des yeux pour autant et le détaillai. Il était ridicule avec ses longs cheveux bruns. Sa barbe de quelques jours lui conférait un côté viril ainsi que son costume de cowboy. Mais après ça ? Il n'avait vraiment rien pour lui. Quelque chose dans ses yeux clairs m'inspira de la méfiance. Il avait beau être baraqué, ce minable ne m'effraya pas le moins du monde. J'avais même hâte de me confronter à lui et m'entretiendrais avec lui dès que l'opportunité se présenterait.

Mon regard insistant sembla l'interpeller. Il quitta sa chaise et me fixa à son tour, puis reporta une nouvelle fois son regard sur Sarah pour ensuite me dévisager à nouveau avant de prendre congé dans un sourire provocateur.

Je me fis violence pour ne pas me jeter sur lui et le frapper afin de lui faire ravaler son sourire.

*Connard... ! Je t'ai dans le collimateur. Tu as intérêt à être blanc comme neige, sinon tu vas passer un sale quart d'heure.*

# CHAPITRE 17

Marita nous offrit le couvert le temps que Marley aille saluer son père. J'étais tendu et Sarah le remarqua. Elle me demandait sans cesse si cela allait. Oui, j'allais bien. Enfin, je le croyais. Je le supposais. Lorsque Marley redescendit, elle mangea à son tour. Nous montâmes ensuite à l'étage où il nous avait été attribué des chambres. La demeure était vraiment immense, un genre de pension. Je n'en revenais pas et me demandais d'ailleurs pourquoi le maître-chanteur de Marley s'en prenait à elle, et non directement à son père qui semblait bien plus aisé qu'elle. Quelque chose clochait dans l'histoire.

Je réfléchissais encore à cela quand Sarah et moi rentrâmes dans notre chambre.

— Tu m'expliques ce que tu as depuis que nous sommes arrivés ? me demanda-t-elle.

Je m'assis sur le rebord du lit, ôtai mes chaussures et m'allongeai sur le matelas.

— Je me méfie juste de tout le monde, ici. Il faut faire attention à qui l'on parle et surtout à ce que l'on dit.

Elle s'allongea à mes côtés et s'enroula autour de moi tandis que je croisais les bras sous ma tête.

— Peut-être, mais, pour l'instant, on est tous les deux dans une chambre, alors on devrait se détendre et penser à nous. Tu ne crois pas ?

— Hum, hum…

Elle enfouit une main sous mon tee-shirt et scella ses lèvres aux miennes. J'accueillis son baiser sans vraiment y répondre. J'étais plongé dans mes réflexions, mais je sentais qu'elle en voulait plus.

— Logan ? s'offusqua-t-elle lorsqu'elle comprit que je n'irais pas plus loin.

Je m'écartai et me levai, puis remis mes baskets.

— Qu'est-ce que tu fais ? Où tu vas ? s'agaça-t-elle.

— Je descends.

— Tu vas rejoindre Marley. C'est ça ?

J'étais prêt à ouvrir la porte, mais je me retournai, les sourcils arqués.

— Quoi… ? Non ! Je descends, répétai-je ahuri.

S'il y avait bien un trait de caractère chez Sarah que je n'avais pas découvert jusque-là, c'était cette colère perceptible dans son regard. Elle n'était d'ordinaire pas aussi agressive, ni dans sa voix ni dans son expression.

Assise, elle me fixa avec une intensité perturbante, comme si toute sa douceur s'était brusquement envolée.

— Je n'en ai pas pour longtemps, ajoutai-je, dérouté. Dors ! Je reviens.

Sans plus attendre, je gagnai le rez-de-chaussée. Il y avait encore un monde fou dans les parages. À croire que jamais personne ne dormait dans cette maison. Je croisai deux hommes dans le hall. Il devait être minuit passé et quatre types jouaient aux cartes dans la salle à manger. Ils me proposèrent de me joindre à eux pour boire un verre, mais je refusai. Je voulais juste faire un tour rapide du domaine et m'aérer l'esprit.

Je sortis de la maison et reconnus instantanément le rire de Marley. Assise sur la balancelle du porche, elle discutait avec ce Ricardo qui la lorgnait comme une bête en rut.

— Logan ? Tu ne dors pas ? m'appela-t-elle avec son sourire béat.

— Non.

Je me contentai de passer mon chemin et d'emprunter les marches qui menaient au parc.

— Viens boire une bière avec nous, me proposa-t-elle.

— Non, merci.

Je traçai vers je ne sais où. La voir se faire draguer par ce type ne m'enchantait pas tellement. Qu'elle s'amuse ! Moi, j'avais autre chose à faire. J'arrivai devant une écurie. Je gagnai l'intérieur. J'ai toujours adoré l'odeur des chevaux et l'atmosphère apaisante qui règne autour de ces animaux majestueux.

Je longeai une dizaine de boxes et ralentis mon allure lorsque que j'entendis qu'on accourrait derrière moi.

— Logan, qu'est-ce que tu fais ?

Marley arrivait à ma rencontre, essoufflée.

— Je visite.

— À minuit ? Tu es insomniaque ou quoi ? railla-t-elle tout en regardant son portable et dans un léger rire que je trouvai agaçant tant je l'appréciais.

Je haussai les épaules.

— Qu'est-ce qui te tracasse ? poursuivit-elle.

— Rien.

Elle se figea devant moi et me barra la route.

— Logan ? Tu t'es disputé avec Sarah ?

— Non.

Je fis un pas de côté. Elle fit de même et insista.

— Dis-moi ce qui cloche. Tu as ta tête des mauvais jours.

— Tu peux retourner près de ton cowboy, dis-je. Tout va bien.

Elle sourit plus largement.

— C'est à cause de lui ?

— Non, ce n'est pas à cause de lui, Marley. Simplement, je t'ai dit de te méfier de tout le monde, ici.

Croisant ses bras sous sa délicieuse poitrine, elle soupira.

— Oui, je me méfie, mais je cherche à apprendre à connaître mes ennemis au lieu de les fuir et de faire l'autruche.

Je ris amèrement. Évidemment, dans ce cas précis, cela semblait plutôt l'arranger. Ce Ricardo n'était pas le pire ennemi qu'une femme aurait pu avoir. J'arrivai enfin à poursuivre mon chemin lorsqu'elle s'écarta. Cela dit, elle ne lâcha pas l'affaire.

Je m'arrêtai et m'assis sur une botte de paille.

— Pourquoi ris-tu ?

Elle prit place à mes côtés. J'abdiquai. Je ne souhaitais pas lui montrer ma jalousie.

— Pour rien. Bon et alors ? Raconte ! Tu as appris quoi sur ce type ?

— Il a trente-deux ans, père qu'une petite fille et il est divorcé. Il vient de l'Arkansas. Donc, tu vois, tout ce qu'il y a de plus banal.

— Et que fait-il ici ?

— Il se forme pour son propre ranch. Il finit son contrat fin octobre, puis repartira auprès de sa fille qui vit chez ses parents pour l'instant.

— Et son ex ?

— Elle est décédée.

— Oh ! prononcé-je.

J'étais tout à coup navré pour lui et sa fille. Mais je me devais de me méfier de tout le monde. Je persistai dans cette optique. Marley avait raison sur un point, autant faire connaissance avec tout le monde.

— Tu vois, me dit-elle en me tapotant la cuisse. On n'a rien à craindre de lui.

— Mouais…

Je n'étais pas convaincu. Elle éclata de rire.

— Attention Sexy boy ! On pourrait croire que tu es jaloux…

— Moi ?!? Jamais de la vie ! Tu es une grande fille, Marley. Tu fais ce que tu veux… avec qui tu veux.

— Mais pas avec lui, c'est ça ? rit-elle encore.

Je m'abstins de lui répondre et lui rendis son sublime sourire, puis lui attrapai la main. J'enlaçai mes doigts aux siens avant de m'adosser à la paroi de bois.

— Tu n'as reçu aucun autre message depuis l'autre jour ?

Marley adopta la même position que moi et bascula sa tête contre mon épaule.

— Non, rien. Je pensais que notre arrivée le ferait réagir.

— Moi aussi, affirmai-je avant de me soucier. Comment va ton père ?

— Il… hésita-t-elle. Il ne m'a tout d'abord pas reconnue, mais Isobel, l'aide à domicile, lui a rappelé qu'il avait une fille. Il a semblé s'en souvenir, mais son regard était presque vide, éteint… Aucune…

Son corps se tendit et sa voix se rompit. Elle se tut, dévastée par une vague de tristesse. Je passai un bras autour de ses épaules et la serrai contre moi. J'étais incapable de trouver les mots justes pour la réconforter. Je supposais qu'il n'y en avait pas. Lors de la douloureuse perte d'Abby, les gens tentaient sans cesse d'apaiser ma peine avec des paroles toutes faites et futiles. Cela ne servait à rien. Je souhaitais juste une épaule pour pleurer et, à ce moment-là, je pensais pouvoir lui donner cet appui.

Nous restâmes un long moment enlacés sous la lumière tamisée d'une ampoule au loin. Puis, sans un mot de plus que : *« Allons, nous coucher »,* nous rentrâmes. Il était tard et le lendemain nous allions devoir ouvrir l'œil et observer, nous avions donc intérêt à être en forme.

Le lendemain, je m'extirpai rapidement du lit sans réveiller Sarah. Il était tôt. J'avais dû dormir à peine quatre ou cinq heures. J'espérais pouvoir rencontrer le père de Marley et son personnel soignant, ainsi qu'en apprendre un peu plus sur lui et le ranch. Dans la salle à manger, c'était le même cirque qu'hier soir. Les employés, stagiaires et autres membres de l'équipe prenaient leur petit déjeuner en petits groupes qui se succédaient les uns après les autres engendrant de constantes allées et venues dans la maison. Je croisai Marita qui me proposa un café. J'acceptai et pris place à côté d'un type au visage marqué par le temps, en retrait en bout de table. Je l'avais repéré la veille déjà, je tentai une approche.

— Bonjour, dis-je en m'asseyant.

L'homme à la peau tannée par le soleil ne broncha pas. Un Stetson visé sur le crâne, le nez plongé dans sa tasse, il remuait machinalement sa cuillère. Il ne semblait pas avoir remarqué ma présence ou alors il faisait exprès de ne pas me voir, peu importe.

— Mon petit ? s'enquit Marita en revenant, une tasse fumante de café à la main. C'est Logan, ton prénom, c'est bien ça ?

— Exact.

— Lui, c'est Charles.

Elle désigna le quinquagénaire silencieux avant de poursuivre.

— Il est sourd et muet. Alors, ne te fatigue pas, à moins que tu saches signer.

— Oh ! prononçai-je, ahuri.

À la vue de mon air hébété, elle rit et s'en alla.

— Ouais, gros !

Je me retournai.

— Déjà debout ?

— Ouaip, répondit joyeusement mon frère. Notre lit n'arrêtait pas de grincer. C'est un enfer !

— Notre ?

S'asseyant à mes côtés, son visage s'illumina davantage. Je reconnus là son air idiot.

— Kandy et moi.

Surpris, je recrachai ma gorgée de café.

— Kandy et toi ? m'estomaquai-je. J'ai loupé quoi?

Il me lança une tape dans le dos.

— Eh ouais, mon pote ! Si tu voulais te la faire, c'est trop tard.

Je ripostai.

— Je ne voulais pas me la faire, je suis avec Sarah.

Son sourire benêt s'effaça.

— Tu n'es pas avec Sarah, t'es toujours avec Abby, murmura-t-il sans me regarder.

— Va te faire foutre !

Tasse en main, je me levai. Je ne supportais pas qu'il me rabâche son opinion quant à ma relation avec Sarah. Qu'il s'occupe de ses affaires et moi des miennes. Je fis quelque pas en direction de la cuisine quand un homme d'une soixantaine d'années, aux longs cheveux blancs attachés en queue de cheval et soutenu au niveau du coude par une jeune femme arriva dans la pièce. Tout le monde se tut. Le soudain silence fit planer une atmosphère étrange et déconcertante dans la salle. Il suffisait de connaître Marley pour comprendre qu'il s'agissait de son père tant la ressemblance était frappante.

— Bonjour tout le monde, s'écria-t-il d'une voix théâtrale.

Les hommes soulevèrent leur chapeau et reprirent leur discussion tandis que Monsieur Hopkins avançant vers le bout de table se lança dans un discours que personne n'écouta, à part moi.

— Il va falloir compter les bêtes. Duncan n'aura pas une vache de plus. Je le maudis ! Cet homme finira pendu. Je vous le dis. Ce sera peut-être même moi qui le hisserai sur sa potence. Non ! Plus jamais ! Nous avons perdu trois bêtes. Encore hier ! Cela ne se reproduira pas…

Je me ressaisissais lorsque son regard croisa le mien. J'étais en train de le fixer comme une bête de foire. Ses yeux vides et brillants me glaçaient les veines. Sa prestance et sa carrure étaient, cela dit, très déroutantes. Cet homme devait être impressionnant à l'époque où il avait encore toute sa tête. Je comprenais mieux le caractère vif et fort de Marley.

— Ne te fie pas à ce qu'il dit, m'interpella Ricardo. Le vieux radote son histoire avec Duncan tous les matins.

— Qui est Duncan ?

— Le voisin, mort il y a trois ans.

— Il n'a pas été pendu, j'espère, raillai-je, vaguement inquiet.

Ricardo émit un léger rire et, avant de quitter la pièce, il me révéla la cause du décès.

— Non, crise cardiaque, paraît-il. Ces magouilles auront eu raison de lui.

Je finis par me rendre dans le hall. Je voulais continuer ma visite d'hier soir et voir un peu les activités que proposait ce ranch, mais, au pied des escaliers, je croisai Sarah.

— Coucou, toi, dis-je en l'enlaçant et la soulevant dans mes bras avant de la reposer au sol.

— Salut.

Elle répondit à mon baiser, mais quelque chose dans son attitude me perturba. Elle était distante, froide et pensive. Était-ce à cause de notre petit accrochage de la veille ?

— Tu as bien dormi ?

Elle se contenta d'un hochement de tête pour toute réponse et s'étira tout en fixant l'extérieur au travers des vitres de part et d'autre de la porte d'entrée. L'insistance de son regard et l'indicible sourire qui se dessina sur son visage m'interpellèrent. Je suivis son regard et m'emportai en silence lorsque que je captai qu'elle était en train de mater Ricardo qui se dirigeait vers un enclos.

— Il est veuf et célibataire. Tu veux que je te le présente et que je vous réserve une table dans un restaurant ?

Enfin, elle reporta son attention sur moi et, contre toute attente, elle me sortit la dernière parole à laquelle j'aurais pensé.

— Veuf ? Il t'a dit ça ?! dit-elle, incrédule.

— Non, mais sérieux ? Qu'est-ce qu'on s'en branle !

Je m'écartai. Elle me retint en prononçant mon prénom d'une voix lancinante.

— Logan, ne te fâche pas.

— Tu me fais payer mes discussions avec Marley, c'est ça ?

— Mais, non !

— Alors pourquoi tu lorgnes ce type de cette manière !? Il te manque plus que le filet de bave, ouvrir les cuisses, et c'est bon !

Je ne la vis pas venir, mais la gifle que je me pris me fit redescendre sur terre. Aussitôt, elle se couvrit la bouche, stupéfaite par son propre geste.

Je préférai sortir et prendre l'air avant de réellement m'énerver. Elle s'excusa mille fois au moins, mais elle ne me suivit pas et n'insista pas. Tant mieux.

L'esprit embrouillé, je passai la matinée à faire le tour du domaine, à parler avec les personnes que je rencontrais et à en apprendre sur le père de Marley, Paul Hopkins. C'était un homme sévère, les termes « sévérité » et « droiture » ressortaient souvent dans leurs paroles. Il s'était battu pour maintenir ce ranch et, ici, tout le monde lui en était reconnaissant.

Il devait être proche des onze heures. J'étais assis, perché sur une clôture de bois. Je venais de faire la connaissance de Suzy, une quarantenaire qui n'avait pas sa langue en poche et qui était dotée de beaucoup d'humour. Elle s'occupait du débourrage des poulains et, en haute saison, elle s'occupait des randonnées. Elle m'avait expliqué qu'elle travaillait au ranch depuis huit ans déjà. Elle était l'une des plus anciennes employées.

— Hé, le minot, me lança-t-elle alors qu'elle tentait de maîtriser une pouliche plutôt coriace. Pourquoi vous êtes là, tes amis et toi ?

— Nous sommes des amis de Marley. Elle voulait rejoindre son père ; on l'a suivie, simplement.

Ce qui n'était pas totalement faux, même si j'avais omis certains détails.

— Elle a toujours son bar ?

— Vous êtes au courant ?

— J'ai eu une aventure avec son père, il y a dix ans, avant qu'il ne m'embauche. Je connais bien Marley.

— Oh ! Et si ce n'est pas indiscret, pourquoi avez-vous rompu ?

— Il a fait une grave dépression après le drame de la petite Maddy et on a rompu, voilà.

— Le drame de la petite Maddy ? m'interloquai-je.

— Oui, lorsque Paul a repris les affaires, une petite fille du nom de Maddy s'est tuée en randonnée. Il ne s'en est jamais remis et notre couple non plus.

# CHAPITRE 18

Une cloche retentit tandis que nous pénétrions dans l'écurie. Je discutais encore avec Suzy. Je souhaitais en savoir davantage sur le drame de la petite Maddy. Cela avait été reconnu comme un tragique et malheureux accident. Paul Hopkins avait eu quelques problèmes avec l'avocat de la famille, mais l'affaire avait rapidement été classée. Je tenais peut-être une piste. Une vengeance ? Mais alors pourquoi réclamer de l'argent ? Une forme de dédommagement ?

Entre-temps, Suzy était arrivée à canaliser la jument et j'en étais impressionné. L'instauration d'une telle confiance entre l'homme et l'animal était merveilleuse à observer. La bête était pourtant si craintive au départ et elle si chétive. Cela relevait du miracle.

— C'est l'heure du déjeuner, me signala Suzy lorsqu'elle rentra la jument apaisée dans son boxe.

Je n'avais vu ni Marley ni Sarah ni même mon frère et Kandy, ce matin-là. Je me demandais où ils étaient tous passés. Je regagnai la salle à manger où presque tout le monde était installé. Le père de Marley trônait toujours en bout de table, et j'étais étonné de le voir rire avec Sarah à ses côtés qui l'aidait à manger une soupe.

Toujours irrité par sa gifle, je la rejoignis.

— Tu étais où ? me demanda-t-elle en donnant le relais à Isobel, l'aide à domicile.

— J'ai fait un tour dans le domaine.

Elle allait parler, mais un cri strident suivi d'un rire aigu l'en empêcha. On se retourna dans un même mouvement. Mon frère et Kandy se chamaillaient assis l'un sur l'autre sur l'un des fauteuils près de la cheminée.

— Tu étais au courant pour eux deux ?

— C'était évident ! me lança-t-elle. Ils se cherchent depuis le début.

— J'ai rien vu venir.

— Pas étonnant ! Si tu passais moins de temps à t'occuper des affaires de Marley, tu l'aurais remarqué, me balança-t-elle sans même ciller.

— O.K. ! Celle-là, je l'ai prise... Tu veux vraiment qu'on parle de ça maintenant ?...

Elle croisa ses bras contre sa poitrine et me défia du regard.

— Pourquoi pas ?

— Mais qu'est-ce qu'il t'arrive en ce moment ? Tu…

Je n'eus pas le temps de finir ma phrase que Marley apparut à la porte, le visage défait. Elle me fit signe de venir avant de disparaître derrière la cloison.

— Je reviens, dis-je à Sarah.

Cette dernière interrompit mon élan.

— Tu vois ? Marley arrive, tu accours.

— Elle a des problèmes, Sarah ! Je l'aide, contrairement à tous ici !

Elle me fusilla d'un tel regard que j'en restai médusé. Elle n'avait pas à me reprocher l'aide que j'apportais à Marley. Elle finit par tourner les talons, vexée. Je ne la retins pas, ses réactions m'insupportaient et je fis cape dans le hall.

Adossée contre le mur, Marley me tendit son portable.

— Regarde !

Je m'en saisis et lorgnai le Snapchat qu'elle venait d'ouvrir. C'était une vidéo prise près de l'écurie où je me tenais à peine quelques minutes auparavant. On nous y voyait, Suzy et moi, regagner la maison. Cet enfoiré était juste derrière nous. Les images durèrent dix secondes avant de disparaître.

Je lus à haute voix le message inscrit dessus.

— *« Ton beau gosse n'y changera rien. Bienvenue à la maison, Marley. Prends soin de toi. »*

— Tu as remarqué quelqu'un ? s'empressa-t-elle de me demander.

Je me repassai notre sortie de l'écurie, mais je discutais de Marita et de ce qu'elle faisait pour le ranch. C'est-à-dire énormément. Entre la cuisine pour nourrir tout le monde et certaines tâches ménagères, cette dame était une véritable Wonder woman.

— Non, dis-je en essayant de me remémorer le trajet. En tout cas, ce n'est pas Suzy. Tu étais avec qui, toi ?

— Ta Sarah, Isobel et mon père puis, je suis montée un instant dans ma chambre.

— Il y avait qui dans la salle à manger quand t'es montée à l'étage ?

— Presque tout le monde, sauf toi, Suzy, le vieux Charles, Ricardo, Jules et le jeune Stewart.

Même si elle pensait que Ricardo était blanc comme neige, je restais suspicieux à son égard. Preuve en était qu'il figurait dans la liste des absents.

— Non, Logan ! me lança-t-elle avec de gros yeux.

— Quoi ?

— Oublie Ricardo, dit-elle. Tu as la tête du gars qui va me sortir le fameux : *« Je te l'avais dit. »*

— On ne peut pas l'écarter sans l'avoir vraiment blanchi de tout soupçon. Il peut très bien t'avoir raconté un bobard.

— Il y a Jules, Stewart et Charles aussi, pourquoi tu… ?

— T'es sérieuse ?! Charles !? Tu le vois vraiment utiliser Snapchat ?

— Ce n'est pas parce qu'il est sourd, muet et âgé qu'il est inapte à tout, Logan ! Et puis, je te signale que je l'ai en ami sur Facebook et…

Elle se tut lorsque, coïncidence, Charles gagna la maison. Tranquillement et avec des gestes mesurés, il ôta ses bottes pour enfiler des pantoufles. Sans un regard pour nous et le visage totalement inexpressif, il nous dépassa avant de rejoindre les autres pour le repas.

J'utilisai ce laps de temps pour me répéter mentalement la fin du message : *« Prends soin de toi. »* Des menaces ? Et pourquoi ne lui parlait-il plus d'argent ? Je m'abstins de lui faire part de mes inquiétudes. Je ne voulais pas qu'elle s'affole pour rien. Cependant, il allait falloir la surveiller de très près et, à vrai dire, cette idée ne me déplaisait pas tant que ça.

— Tu restes avec moi cet après-midi, lui ordonnai-je.

Elle riposta, hébétée.

— Et pourquoi donc ?

— Parce que !

Je lui rendis son téléphone et lui fis signe de regagner la salle à manger sans plus d'explication. Elle fronça les sourcils et je perçus qu'elle avait capté mon inquiétude. Elle n'insista pas.

Je mangeai entre Marley et Sarah. L'ambiance était plutôt tendue. Par contre, en ce qui concernait mon frère et Kandy, tout semblait aller comme sur des roulettes. C'en devenait même agaçant de les voir se galocher et se tripoter à table en face de nous.

Les discussions tournaient autour du ranch et des chevaux. J'appris que le domaine était bordé par une plage. Marley me proposa de me la faire découvrir après le repas.

Je proposai à Sarah de nous accompagner.

— Tu viens avec nous ?

— Non. Je reste là.

Je m'étonnai. Agacé, je décidai d'avoir une conversation avec elle. Je demandai à Marley de nous attendre sous le porche, tandis que j'amenais Sarah dans ce qui ressemblait à une bibliothèque.

Je m'assis sur le bureau et attirai Sarah contre moi avant de me lancer.

— Tu me reproches de passer du temps avec Marley et quand je te demande de nous accompagner, tu refuses ! Tu m'expliques, là, parce que je ne comprends pas ton comportement !

Elle recula, s'extirpant de mes bras, puis baissa les yeux.

— Je n'ai tout simplement pas envie de venir avec vous.

— Tu n'as pas envie de passer du temps avec moi, c'est ça ?

Elle haussa les épaules et recula d'un pas supplémentaire sans relever le regard.

— Je suis fatiguée, dit-elle en se tournant vers la porte.

— Non, Sarah ! Il va falloir que tu me parles, tu…

— Logan, s'il te plaît ! Je suis fatiguée, je n'ai pas envie de venir, point !

— Merde à la fin, qu'est-ce que tu as ?

— Rien… promis.

Je secouai la tête, dépité.

— Je ne te crois pas.

— Tu feras avec, Logan…

— C'était quoi, cette gifle, tout à l'heure ?

— Je me suis excusée.

— Écoute ! Je fais des efforts pour toi, pour nous. Tu connais mon passé. Ce n'est pas évident à gérer pour moi, alors fais-en, toi aussi.

— J'en fais, Logan…

Elle hésita un court instant, puis fila.

— Sarah, NON… !

Je me retrouvai seul, assis comme un idiot dans cet endroit sinistre, me disant que je ne comprendrais jamais les femmes et, pour la première fois depuis ma tentative d'établir une relation sérieuse avec Sarah, mon ancienne vie de coureur de jupons me manquait.

Finalement, et après avoir juré une bonne dizaine de fois, je scrutai plus attentivement ce qui m'entourait. Cela ressemblait davantage à un bureau avec pour seul éclairage naturel un immense vitrail qui occupait tout un pan de mur. Les morceaux de verre colorés formaient un étalon cabré entouré par un fer à cheval. Je m'avançai vers une étagère jonchée de photos de Marley à tout âge. Je souris en fixant sa bouille de gamine espiègle. Déjà enfant, elle semblait avoir un caractère bien trempé. La seule différence avec aujourd'hui était qu'elle avait l'air plutôt du style « garçon manqué » avec ses jeans troués et ses tee-shirts dix fois trop grands pour elle. Et que dire de la photo où elle était revêtue d'un maillot et d'un short d'une équipe de soccer.

Après avoir regardé toutes les photos, je finis par sortir la rejoindre sous le porche. Évidemment, histoire de m'agacer un peu plus, elle était en compagnie de Ricardo. Ce dernier, jusque-là adossé nonchalamment à la poutrelle, le visage à quelques centimètres de celui de Marley, croisa mon regard et me toisa. Mon cœur se serra en remarquant les yeux étincelants de Marley. J'étais déjà furieux suite à ma récente conversation avec Sarah, mais ce fut la goutte qui fit déborder le vase.

— Quoi ?! crachai-je à Ricardo. Tu veux ma photo ?

Il rit et reporta son attention sur Marley.

*Sérieux !? Il était vraiment sérieux là ? C'était tout ? Aucune autre réaction ?*

Je fis un pas vers lui et, de mes mains contre son buste je le bousculai en arrière.

—Oh !? lâcha-t-il, surpris.

Il se mit aussitôt sur la défensive. Marley tenta de me raisonner. Je n'en fis pas le moindre cas et poursuivis en télescopant mon poing contre l'épaule de ce type. J'étais enragé. Je devais me défouler sur quelque chose ou plutôt, à cet instant, sur quelqu'un, et Ricardo était le parfait défouloir.

— Tu vas te calmer, m'annonça-t-il, provocant.

— Viens ! Viens me calmer ! Je n'attends que ça !

Marley s'interposa entre nous.

— Vous allez cesser immédiatement vos conneries tous les deux !

Elle se tourna vers moi.

— Qu'est-ce qu'il te prend Logan ?

Je lui jetai un coup d'œil furtif et sifflai :

— Si tu ne veux pas t'en prendre une, Marley, dégage de là.

Elle écarquilla les yeux de surprise, puis me fit face et m'envoya un coup de poing contre le torse.

— Logan, arrête ! Si tu crois que tes menaces me font peur, tu te mets le doigt dans l'œil. Je n'en ai rien à foutre. Je ne sais pas quelle mouche t'a piqué, mais tu remballes ta colère de suite !

Je la scrutai avec plus d'attention. Elle était hors d'elle et déroutée. Je les contournai, défiai Ricardo du regard et descendis les marches.

— Allons-y, dis-je.

— Sarah ne vient pas ?

— Non.

Je poursuivis mon chemin sans attendre Marley.

— Logan, attends-moi ! Tu marches trop vite ! se plaignit-elle.

Je ralentis la cadence et, une fois à ma hauteur, elle s'enquit.

— Vous vous êtes disputés ? Tu m'expliques ce comportement idiot ?

— Non.

— Non, quoi ?

Je noyais le poisson.

— Non, je ne me suis pas disputé avec elle. Disons qu'elle n'est pas très agréable, ces derniers temps.

— J'en connais un autre, me balança-t-elle.

À l'abord d'un sentier qui s'engouffrait dans d'épaisses broussailles sèches, je m'arrêtai et lui fis face. J'encaissai la remarque et essayai de m'adoucir.

— Je me suis trompé, avoué-je.

Elle m'interrogea du regard.

— C'est-à-dire ???

— Je n'ai aucun sentiment pour elle. Je n'y arrive pas, je n'y arrive plus…

— Oh ! prononça-t-elle, troublée. Tu… tu veux rompre ?

— Oui.

On reprit notre chemin à travers le maquis. Déjà, l'air iodé de l'océan nous parvenait, et la terre craquelée par la sécheresse de la région laissait progressivement place à un sable fin et de plus en plus dense.

— Tu penses toujours à Abby ?? me demanda-t-elle tout à coup.

— Je pense sans cesse à Abby.

— Non, mais je voulais dire quand tu es avec Sarah.

— Bizarrement, depuis notre départ de Malibu, pas une seule fois.

— C'est étrange, non ??

— J'ai l'impression qu'elle est en train de me dévoiler son vrai visage et elle n'a plus aucun point commun avec Abby. C'est peut être ça, l'explication.

— Peut-être, acquiesça-t-elle lorsque que nous arrivâmes sur la plage.

J'inspirai longuement et m'avançai un peu plus dans le sable. La brise marine était légère et la chaleur intenable des terres se radoucit.

— Au fait, dis-je pour détendre l'atmosphère, tu étais très mignonne avec tes couettes et ton appareil dentaire…

Dans mon dos, je sentis qu'elle s'arrêtait brusquement.

— Quoi ?!?

Je ris et me tournai pour lui décocher un clin d'œil.

— Où as-tu vu cette photo ?!? fit-elle, scandalisée.

— Dans le bureau de ton père.

Je ricanai ; elle grogna :

— Arrête de te moquer, bouda-t-elle avec une moue que je trouvai adorable. Je suis certaine que tu as aussi de gros dossiers photos.

— Moi ?! Non, j'ai toujours été aussi beau.

— Prétentieux !

Faussement vexé, je revins sur mes pas et, parvenu à sa hauteur, sans prévenir, je me baissai et la soulevai. Sous le coup de la surprise, elle lâcha un cri. Je la calai sur mon épaule et avançai jusqu'à l'océan. J'arrivai à lui extirper son portable de la

217

poche de son short et le jetai sur le sable sec avant de faire de même avec le mien et mon portefeuille.

— Non, Logan, non !!! cria-t-elle quand elle comprit mes intentions.

Elle remuait tellement qu'il m'était difficile de la tenir. Je me hâtai donc de pénétrer dans l'eau, tout habillé.

— Si, si, raillai-je.

L'eau à hauteur des hanches, je m'arrêtai. Marley avait cessé de se plaindre. Ses cris s'étaient mués en rire, et j'adorais ce son. Elle s'accrocha vainement à mon tee-shirt et me flanqua des coups de poings dans le bas du dos.

— Trois… deux… commençai-je le décompte avant de la jeter à l'eau.

— Non, non, n…

Sa voix s'étouffa dans les profondeurs faisant éclater des dizaines de bulles en surface. Prévoyant sa riposte, je fis quelques pas en arrière. Elle émergea et, après avoir rabattu ses cheveux qui lui collaient sur le visage, elle me fusilla du regard.

— Alors, comme ça, je suis prétentieux ? ricanai-je encore pour la provoquer.

Elle se redressa et je ravalai un hoquet de surprise lorsque je m'aperçus de la transparence de son débardeur et de son soutien-gorge. Sa poitrine était d'une perfection déroutante.

— Oui, tu es prétentieux et…, débuta-t-elle avant de remarquer la direction de mon regard. Et un fameux obsédé, qui plus est !

Elle m'aspergea. Je ris de plus belle avant de hausser les épaules.

— Attends, ce n'est pas ma faute, c'est un réflexe inné chez l'homme !!

— Ouais, ben je vais te le faire passer, ton réflexe inné, dit-elle en s'avançant vers moi, déterminée.

Je tendis les mains pour l'empêcher de m'atteindre. Elle entrelaça ses doigts aux miens et me poussa en arrière tout en tentant de me faire perdre l'équilibre, mais je ne bougeai pas d'un pouce. En revanche, je n'eus qu'à lui faire un croche-patte pour qu'elle tombe à la renverse. Sauf que je n'avais pas anticipé le fait qu'elle m'entraînerait avec elle. Nous tombâmes l'un sur l'autre et remontâmes à la surface dans un éclat de rire. L'eau était super bonne, un vrai régal.

Immergés à hauteur des épaules, nous nous fîmes face. Elle me sourit, je lui rendis son sourire.

— Tu te souviens de notre bain de minuit ? me demanda-t-elle.

— Oui. Le soir où tu m'as mis un gros vent !

— Le soir où je t'ai fait une petite gâterie.

— Aussi…

— Ah, ah. J'avais adoré ta tête d'ailleurs quand je t'ai piqué ton boxer.

— Et ça te fait rire ?

Elle hocha la tête tandis que je me rapprochais d'elle.

— Et je n'ai pas changé d'avis quant au fait que je ne supplierai jamais pour partager plus avec toi, me sortit-elle.

— Il me semble que tu as oublié l'épisode de la cuisine… sur la table…

Je lui lançai un sourire diabolique, puis l'imitai d'une voix suraiguë :

— *« Oh, ouiiii !! Logan, fais-moi l'amour… prends-moi sur cette table… »*

Elle m'envoya une bourrade sur le bras.

— Je savais que tu allais faire marche arrière.

— Et si j'étais allé jusqu'au bout ? dis-je, en la ramenant contre moi. Tu aurais fait quoi ?

Elle déglutit longuement en posant ses deux mains sur mes épaules.

— Ce n'est pas ce qui s'est passé.

Comme toujours, elle esquivait.

— Réponds !

— Retente, et tu auras ta réponse, minauda-t-elle.

Je clignai nerveusement des paupières et pris une lente inspiration. Je mourais d'envie de lui faire l'amour, là, maintenant. Je ne pensais qu'à ça depuis le début de notre conversation. Ma queue était même déjà en train de durcir, rien qu'à cette idée. Je savais et, surtout, je voyais que Marley le voulait aussi.

Je soupirai.

— Je n'ai pas rompu avec Sarah.

Je vis passer de l'étonnement dans ses yeux, puis de la frustration.

— Logan, tu as beaucoup trop de principes, dit-elle en reculant vers le rivage.

Je la rattrapai par le bras.

— Et merde ! lâchai-je en l'attirant vers moi pour coller mes lèvres contre les siennes l'instant d'après.

Elle accueillit mon baiser avec autant de fougue que celle que j'y mis. Nos gestes furent brusques. Nos corps se cherchaient désespérément. Tout se passait dans l'urgence, la déraison. La seule barrière à notre union était nos vêtements trempés. On se dévorait et l'on s'étudiait. J'en voulais plus, toujours plus. Son goût, sa peau me firent chavirer. Je devins carrément dingue à l'idée de réaliser ce fantasme qui hantait mes nuits, ces derniers temps. Plus rien n'avait d'importance, à part elle et moi. J'avais été con, idiot et obstinément aveugle. C'était elle que je désirais depuis le début. J'adorais la tenir dans mes bras, passer mes lèvres sur la peau de son cou. J'aimais ses soupirs, ses gémissements… sa voix. Je m'écartai légèrement, croisai son regard brûlant, puis ouvris bouton de son short pour le lui faire glisser le long des jambes. Toujours chaussée de ses baskets de ville, je le lui passai par-dessus et finis par le mettre à mon bras pour ne pas qu'il flotte et dérive je ne sais où. Je fis de même avec son string que j'enroulai autour de mon poignet. Je lui laissai son haut et son soutien-gorge, mais je les soulevai pour atteindre sa poitrine après qu'elle m'eût passé mon tee-shirt par-dessus la tête et l'eût coincé derrière ma nuque. Je pris en bouche un de ses tétons durci et m'occupai de l'autre du bout des doigts. Ses sons d'extase m'incitaient, m'appelaient à la parcourir de baisers. Pendant que je m'occupais de ses seins, elle déboutonna mon jean et baissa mon boxer pour ensuite m'empoigner fermement. Ses caresses me donnaient le tournis et me coupaient le souffle. Ma respiration était irrégulière et la sienne se rompait à chaque fois que je la mordillais.

De plus en plus excité, je descendis ma main le long de son sublime corps et la glissai entre ses jambes. Je voulais la goûter. Vraiment ! Je voulais, mais l'endroit, même s'il était désert, ne s'y prêtait pas. Je la fis tout de même reculer vers la plage et, quand je pus enfin m'agenouiller sans me noyer, je lui demandai de passer ses jambes sur mes épaules. Dans un sourire magnifique et avec des yeux scintillants de désir, elle devina mes intentions et s'exécuta, impatiente et frissonnante. Je la maintins d'un bras calé sous son dos pour l'aider à ne pas mettre la tête sous l'eau et lui remontai le bassin à la surface. Je plaquai alors ma bouche contre ses lèvres intimes tandis qu'elle lâchait un cri de plaisir. Lorsque je lui pinçai délicatement le clitoris entre mes lèvres, son râle s'intensifia. L'on aurait pu nous surprendre, vu que l'on était totalement à découvert, mais je m'en fichais et cela rendait notre ébat d'autant plus excitant. À cette pensée, j'augmentai la fréquence de mes succions habiles et soignées. J'alternai en la léchant de haut en bas, de bas en haut. Ma langue s'immisçait en elle et revint la laper. Son goût délicieux était relevé par l'eau salée. Elle se tortilla et j'eus de plus en plus de mal à la tenir. Je la sentais au bord de l'explosion. Je souhaitais d'ailleurs lui donner cet orgasme. Je voulais qu'elle prenne égoïstement son pied. De toute manière, c'était déjà pour moi un vrai régal. On aurait pu s'arrêter à ces préliminaires, j'en aurais été déjà plus que ravi. Je poursuivis et, lorsque qu'elle éclata dans un vif plaisir, je sentis ma queue se raidir davantage.

Je lui laissai le temps de reprendre ses esprits, puis m'extirpai d'entre ses jambes pour m'asseoir sur mes talons et la ramenai sur mes cuisses. Elle me sourit tendrement, une expression rare sur son visage. Elle semblait aux anges. Je l'étais tout autant.

— Cela te pose un problème si l'on ne met pas de protection ? tâtai-je le terrain.

Personnellement, je n'avais pas envie que quelque chose nous sépare, mais c'était à elle de décider.

— Cela ne me dérange pas, murmura-t-elle en empoignant à nouveau mon pénis qui était comblé par ses va-et-vient experts.

Elle ne me lâcha pas du regard. Je ne perdis rien de ce que je voyais dans ses yeux. J'entrouvris la bouche pour laisser passer le peu d'air que mes poumons étaient capables d'absorber tant ma respiration était saccadée. Un long et chaud frisson me transperça les entrailles. Je basculai alors la tête en arrière et fermai les yeux pour me concentrer sur les sensations diverses que me prodiguait Marley en me masturbant. Mon cou à sa merci, elle vint y déposer des baisers, me lécha et me mordilla. Mon corps était tétanisé de plaisir. Je lui laissai le contrôle absolu et elle s'appliqua merveilleusement bien. Tous ses gestes étaient réglés, mesurés, réguliers et rythmés, puis elle me lâcha. J'ouvris les paupières et mes yeux s'emplirent de larmes. Réaction qui ne m'était plus arrivée depuis une éternité. L'espace d'une seconde, je m'en souciai, mais quand elle se plaça au-dessus de moi, disposa ma queue entre ses

223

lèvres intimes et doucement, me fit glisser en elle, mon esprit s'embrouilla. Je perdis pied. Je m'enfonçai. Je lui agrippai les fesses. Non pas pour lui imposer une cadence, mais bien pour m'accrocher à elle comme je me serais cramponné à une bouée de sauvetage. Je poussai des râles d'extase. Elle me répondait par des gémissements profonds. Elle m'engouffra en elle au maximum que nos corps nous le permettaient. Elle jouait de son bassin, une fois à droite, une fois à gauche. Elle accélérait et ralentissait tour à tour. C'était à en devenir fou. Je plaquai ma bouche contre la sienne, mais j'étais incapable de bouger mes lèvres. Je cherchais juste le contact de nos visages. Ses mouvements se renforcèrent. Ses balancements étaient plus secs et courts. Elle se contracta autour de moi. Sa chaleur et sa douceur m'enveloppèrent totalement. J'étais perdu. J'allais craquer. Les premiers signes de ma jouissance me tiraillaient le bas-ventre, le bas du dos, puis remontèrent le long de ma colonne vertébrale. Ce séisme intérieur se propagea dans ma nuque, j'étais en absolue perdition et je n'allais plus rien contrôler.

— Je vais… lâchai-je dans un soupir.

Mais la parole alliait ma maîtrise à mon relâchement, alors je me tus.

— Laisse-toi aller, murmura-t-elle.

Il ne m'en fallut pas davantage pour lâcher prise et partir dans une sensationnelle extase.

# CHAPITRE 19

Allongé à ses côtés sur le sable humide, je repris doucement mes esprits. J'étais sur un petit nuage. Il y avait bien longtemps que je n'avais pas ressenti cela. Comme une paix intérieure totale, un soulagement profond. Bien sûr, je venais de commettre une erreur, mais peu importe, je ne m'étais jamais senti aussi bien depuis l'accident et je savais ce qu'il me restait à faire : rompre avec Sarah.

— Tu me rends mes affaires, me demanda Marley d'une voix douce.

Je me débarrassai de son short et le lui tendis.

— Mon string, s'il te plaît ?

Me tordant de rire, j'étendis le bras pour ne pas qu'elle puisse l'atteindre, puis secouai la tête.

— Logan ! s'exaspéra-t-elle. Allez, donne-le-moi.

Entre deux éclats de rire, je lui énonçai les faits.

— Je te le rendrai quand tu me donneras le boxer que tu m'as gentiment emprunté lors de notre bain de minuit.

— Tu crois que je l'ai emmené avec moi ? Tu abuses, là !

— Vengeance… ! ricanai-je encore, alors qu'elle me grimpait dessus pour tenter de me l'arracher.

Je parai sa manœuvre facilement. Je me levai et remit mes vêtements correctement. Assise, elle enfila son short à même la peau et râla.

— Sérieusement, tu agis parfois comme un gamin. J'ai du sable et du sel partout entre les cuisses.

Je glissai son sous-vêtement dans ma poche et lui tendis la main pour l'aider à se redresser.

— Allez, viens, on va se doucher.

— Hum…, bouda-t-elle en acceptant mon aide.

— Tu me le paieras ! ajouta-t-elle dans un sourire sadique.

— J'en jubile d'avance.

Après avoir récupéré portables et portefeuille, nous empruntâmes le chemin du retour dans une atmosphère légère et détendue. Je passai naturellement mon bras par-dessus ses épaules. Elle me sourit, puis interrompit soudainement sa marche.

— Logan, commença-t-elle tout en venant se planter devant moi, l'air incertain. Ne romps pas avec Sarah à cause de moi… Enfin, pour moi… Je veux dire, pose-toi d'abord les bonnes questions et ne te sers pas de ce qu'il vient de se passer entre nous pour te motiver à le faire. Tu vois ce que je veux dire ?

— Pas très bien, non.

Se tripotant nerveusement les doigts et enchaînant des grimaces, elle finit par me dire le fond de sa pensée, pensée dont je me serais d'ailleurs fort bien passé.

— Tu es adorable. Tu es un mec bien et n'importe quelle fille aimerait avoir un homme comme toi à ses côtés. Moi la première. Mais ce que je cherche à te dire, c'est que je n'envisage pas de me mettre avec toi par la suite. J'ai une liste de souhaits à accomplir et me mettre en couple ne figure pas au sommet de celle-ci, tu comprends ?

Oui, je pigeais mot pour mot, et cela me blessait.

— Tu n'espérais pas plus. Si ? mesura-t-elle mon niveau d'affection en voyant mon hésitation.

Je tentai de donner le change, malgré ma déception.

— Non, non du tout. On a partagé une bonne partie de jambes en l'air. On en avait tous les deux envie depuis un moment, et maintenant que c'est fait, on retourne chacun de notre côté… ça… ça me va. Je fais ça depuis des mois, de toute façon.

— Parfait, dit-elle joyeusement avant de reprendre notre route. Tu comptes faire quoi alors avec Sarah ? Tu vas rompre ?

Je marquai un temps d'arrêt, perturbé, encaissant, et finis par la suivre.

— Après ce que nous avons fait, je pense que oui.

— Logan ! me réprimanda-t-elle.

J'objectai.

— Quoi ? Je ne vais pas poursuivre une relation sans sentiment et qui démarre sur un adultère ?!

— Un adultère ? Carrément ? Tu y vas fort !

— T'appelles ça comment, toi ?

— Un écart malheureux…

— Tu n'es pas sérieuse ?

Elle leva les yeux au ciel et me lança une bourrade dans les côtes.

— Je rigole, Logan ! Je rigole…

Lorsque nous arrivâmes sur la propriété de son père, je l'arrêtai d'une main sur son épaule.

— Attends, tiens ! dis-je tout en lui rendant son sous-vêtement.

Visiblement étonnée, elle s'en saisit.

— Tu abandonnes déjà ?

— J'ai peur que tu chopes un rhume, plaisantai-je tristement.

Elle émit un léger rire et nous poursuivîmes notre chemin qui se sépara dans le hall d'entrée. Je me dirigeai à l'étage, dans la petite chambre qui m'avait été attribuée avec Sarah. Je me munis d'affaires de rechange et filai à la douche. Sous le jet d'eau tiède, je pensai à ce qu'il venait de se passer. J'avais encore le goût de nos baisers. Mes mains se souvenaient encore de la soie de sa peau. J'avais un sentiment d'amertume et un vide familier au fond de moi. Mon cœur meurtri s'était à nouveau réveillé, et il saignait, blessé. Je ne pensais pas que cela serait si douloureux et que cela concernerait Marley. La seule femme depuis Abby qui comptait réellement pour moi venait de me jeter en utilisant les mêmes mots que je n'avais cessé de prononcer durant ces deux dernières années. C'était pathétique et pitoyable.

Après la douche, je regagnai la chambre, me posai sur le lit et finis par m'assoupir.

— Logan ?

On me secoua.

— Réveille-toi.

J'ouvris les yeux tout en essayant d'émerger de mon sommeil. Penchée sur moi, Sarah me dévisageait. La tendresse animait ses traits. Elle paraissait un ange avec son visage si doux et ses longs cheveux blonds. Elle vint se blottir contre moi, sa tête contre mon épaule et son bras sur mon ventre. Je la laissai faire et profitai de ce moment, de ce câlin, en plongeant mon nez dans ses cheveux et humant son parfum fleuri.

— Comment était votre promenade ? demanda-t-elle.

Je me raclai la gorge.

— C'est un joli coin, résumai-je en ravalant les images de Marley nue et gigotant sur moi. Et toi, tu t'es reposée ?

— On a joué aux cartes avec Isobel, Kandy et Joshua.

— Cool.

Les caresses qu'elle me prodiguait sur les abdos devenaient de plus en plus insistantes. J'essayai de me laisser aller et tentai de les apprécier, de m'en contenter. Mais ça me mettait mal à l'aise. Je culpabilisais. Je devais lui parler. Je devais rompre. Je m'étais attaché à elle pour de mauvaises raisons. Son caractère versatile me déplaisait et… et il y avait Marley.

Marley, elle me plaisait. Marley me faisait rire. Elle me faisait oublier le reste. Nos échanges étaient naturellement simples et sincères. Elle avait du caractère, et cela mettait du piment dans ma vie.

Je soupirai.

— Qu'est-ce qu'il y a ? s'enquit-elle.

Je devais lui dire, bon sang ! Romps avec elle ! Tire un trait sur cette relation malsaine.

— Sarah, il faudrait que…

Je me tus au moment où les premières notes de la sonnerie de son téléphone retentirent. Elle le sortit de son jean et inspecta l'écran.

— C'est mon frère.

J'eus le temps de voir apparaître le prénom : « Nick » avant qu'elle ne décroche.

— Oui, Nick, dit-elle en se levant.

Son frère ne l'avait jusque-là jamais appelée ou, du moins, je n'avais jamais été dans les parages. Elle répondit par des « hum » des « oh », « oui » et « non » en se dirigeant vers la porte. Elle semblait gênée par ma présence, alors elle sortit de la pièce et referma derrière elle.

Je n'avais pas envie de rester ici à me morfondre et, même si je ne cherchais pas non plus à croiser Marley, je finis par quitter la chambre à mon tour. Dans le couloir, je fis signe à Sarah en lui indiquant que je descendais. Elle esquissa un léger sourire et reprit sa conversation. Au rez-de-chaussée, je gagnai la cuisine où je trouvai Suzy et Marita qui épluchaient des pommes de terre.

— Tiens ! Voilà le plus beau, s'exclama Suzy.

Je ris de son compliment et, regardant l'heure sur l'horloge au-dessus de la gazinière, je demandai à Marita :

— Vous auriez une bière ?

— Bien sûr, mon petit, dans le frigo. Sers-toi et fais comme chez toi.

Je pris la bière et allai dehors sous le porche. Il était dix-huit heures passé. La chaleur était encore étouffante. Je m'assis sur la balancelle, l'esprit toujours égaré par la confusion de mes sentiments.

Comment avais-je pu être aussi aveuglé par Sarah ? Et, surtout, comment avais-je pu ignorer mes sentiments pour Marley ?

— Oui, je te promets, ricana cette dernière en poussant la moustiquaire et apparaissant devant moi.

— Il faudra que tu me montres ça.

Ricardo la suivait et posa une main possessive sur sa hanche. Cette même hanche à laquelle je m'étais accroché désespérément il y avait de ça quelques heures. Celle qui bougeait pour moi. Celle qui cherchait à me donner du plaisir. Celle qui... Je serrai la mâchoire et ravalai l'envie de foncer tête baissée sur ce cowboy comme j'aurai dû le faire en début d'après-midi si Marley ne s'était pas mise entre nous.

— Oh ! Logan, tu es là ? dit-elle en avançant vers moi.

J'étais incapable de bouger ou même de parler tant le sourire provocateur de Ricardo me mettait en rogne.

231

— J'étais en train de lui parler des photos que tu as vues, ajouta-t-elle en prenant place sur un des sièges devant la balancelle. J'avoue, j'étais un véritable garçon manqué à l'époque.

Il s'assit à ses côtés et me fixa après s'être forcé à rire. Tout, chez ce mec, sonnait faux. Ça se voyait à dix bornes. Pourquoi ne le remarquait-elle pas ? De plus, il me narguait avec son regard brillant de fierté.

— Ça va ? s'inquiéta-t-elle ensuite.

Je n'avais aucune envie de lui répondre. Qu'est-ce que ça pouvait lui faire ?

Je tentai un sourire. Elle fronça les sourcils et passa son regard de lui à moi. Elle semblait lire en moi comme dans un livre ouvert et paraissait capter ma jalousie.

— Rick, montre à Logan la photo de ta fille, elle est magnifique, lança-t-elle tout à coup.

Je compris. Elle essayait encore de le disculper, mais était-elle obligée de lui attribuer ce petit surnom ridicule : Rick ?

— Il paraît que tu es l'heureux père d'une petite fille ?

Ma voix était sèche, un peu trop d'ailleurs, mais je n'arrivais pas à desserrer les dents. Il hocha la tête et se souleva pour attraper le portefeuille de sa poche. Il l'ouvrit et me le tendit. Je m'en saisis et scrutai le portrait d'une petite fille aux cheveux si blonds qu'ils paraissaient blancs. Ses yeux noisette respiraient l'espièglerie et la vivacité. C'était, à vue d'œil, une petite fille de quatre ou cinq ans comme toutes les autres avec un sourire aux dents écartelées et une petite tache de naissance en forme de lune sur le menton.

— Elle a quel âge ?

— Cinq ans.

Je lui rendis son portefeuille. Marley me lança un regard entendu censé me signifier : « *Tu vois ? Arrête de le considérer comme un suspect.* » Puis, elle se munit de son portable et le pianota.

— Comme s'appelle-t-elle ? demandai-je, sans grand intérêt.

Il hésita, passa son regard sur Marley et trouva à nouveau le mien.

— Rebecca.

— Marley m'a expliqué qu'elle vit chez tes parents, c'est ça ?

Je rivai mes yeux sur Marley. Son visage était devenu pâle et ses traits s'étaient crispés.

— Ça va ? je demandai, inquiet.

Je compris ce qu'il se passait lorsqu'elle releva le menton et scruta les alentours, d'un regard apeuré.

— Tu as reçu un autre message ?

Elle me tendit son téléphone. C'était une vidéo très courte de nous trois prise presque à l'instant. Selon l'angle de la caméra, la personne se trouvait sur le côté de la maison derrière la balustrade. Les messages étaient de plus en plus menaçants et ne faisaient plus aucune référence à l'argent. Je commençais à croire que son but n'était pas le fric, mais bien d'attirer Marley ici pour s'en prendre à elle. La phrase était on ne peut plus claire : « *La vie ne tient qu'à un fil, ma belle Marley.* » Sans plus attendre, je me levai, lui rendis son Smartphone et me précipitai de l'autre côté de la terrasse. Je sautai la rambarde, fis le tour de la bâtisse et du cabanon à outils, fouinai quelques buissons, mais je ne trouvai rien ni personne.

Je retournai sous le porche, les nerfs déjà bien à vif. Je réprimai une envie de hurler en voyant Marley dans les bras de Ricardo.

— Tu as vu quelqu'un ? s'empressa-t-elle de me demander.

— Non.

J'allais rentrer dans la maison, mais elle m'arrêta.

— Logan ?

— Je n'ai vu personne. Il se cache dehors ou il est rentré par la véranda derrière, j'en sais rien.

— Vous m'expliquez ce qu'il se passe ? intervint Ricardo.

— Quelqu'un essaie de me…

— Ferme-la ! m'emportai-je, hargneux.

Surprise, elle se délogea de ses bras et me dévisagea, outrée.

— Tu vois bien qu'il n'a rien à voir avec ça, s'égosilla-t-elle.

Je ripostai.

— Tu n'en sais rien ! C'est peut être un coup monté pour le disculper.

— Arrête, Logan ! Tu vois des coupables partout…

— Des coupables partout ? m'estomaquai-je avant de réellement m'énerver. Tu n'as pas compris que cette personne a potentiellement l'envie de s'en prendre à toi ? Tu ne vois pas que tout ceci est un piège ? Cet enfoiré voulait juste te faire venir ici. Et nous, comme les imbéciles que nous sommes, on a mordu à l'hameçon. Ce n'est pas ma vie qui est menacée, c'est la tienne ! Alors, si tu veux te jeter dans la gueule du loup, vas-y ! Après tout, je n'en ai rien à foutre. Je suis venu pour t'apporter mon aide et mon soutien, mais, si tu n'en veux plus, dis-le-moi et je me casse. L'affaire sera réglée. Du moins, pour moi. C'est aussi simple que ça, et…

Je me tus au moment où mon attention fut attirée par des bruits de moteur et de pneus écrasant les graviers. Une limousine suivie d'un S.U.V noir se garèrent devant la maison. Je compris alors qu'ils étaient là pour Kandy et, lorsque je croisai à nouveau le regard de Marley, je constatai qu'elle pensait la même chose.

— Va voir Kandy, lui ordonnai-je. Je m'occupe d'eux.

Elle ne broncha pas et s'exécuta. Quant à Ricardo, il posa une main sur mon épaule.

— Hé mec ! Besoin d'aide ?

Je le toisai.

— Non, ça ira, sifflai-je en faisant un pas.

Il me retint.

— Je ne suis pas ton ennemi.

— On verra ça, crachai-je avec mépris, avant de descendre les marches et de rejoindre un homme en costume noir.

Le même homme qui venait de descendre du côté passager de la limousine. Un sbire de Stentor.

# CHAPITRE 20

L'homme à la paire de lunettes noires et au costume ne prit pas la peine de se présenter et me balança d'un ton ferme et peu aimable.

— Nous venons chercher Mademoiselle Stentor.

Je feignis l'ignorance.

— Navré ! Inconnue au bataillon…

— Kandy Stentor.

— Désolé, insistai-je sans me démonter. Je ne la connais pas.

Il soupira, se pinça l'arête du nez, puis remit correctement ses lunettes en place avant de glisser sa main dans la poche intérieure de sa veste. Il en sortit un téléphone.

— Nous avons une trace GPS de son portable à cet endroit précis.

— Arf, vous savez, la technologie n'est pas toujours fiable à cent pour cent…

— Arrêtez de faire le malin, me menaça-t-il. Vous risqueriez de le regretter. Nous souhaitons juste rendre Kandy à sa famille.

Je ris amèrement et répétai.

— Rendre Kandy à sa famille ? Vous êtes conscient que vous êtes en train de parler d'une personne, et non d'un objet.

Je détournai rapidement mon attention de cet homme lorsque la vitre arrière de la limousine descendit. Apparut alors un homme que j'aurais reconnu entre mille. Stentor, en chair et en os, me scruta curieusement, puis me fit signe d'approcher.

— Vous permettez, dis-je à son sbire avec un sourire provocateur.

Il s'écarta et ne masqua pas son agacement vis-à-vis de mon comportement. Je m'avançai vers la portière d'une démarche décontractée en évitant de lui laisser percevoir ma nervosité.

— Monsieur Campbell, je présume ?

— Je vois que je ne suis pas un inconnu…

— Je connais les fréquentations de ma fille.

— Non ! rectifiai-je. Vous espionnez les fréquentations de votre fille.

Il se racla la gorge, regarda derrière moi et rétorqua en rivant à nouveau ses yeux aux miens.

— Avec Loreen Hopewell dans ses relations, j'ai tout intérêt.

— Qui est Loreen Hopewell ?

— Ici, c'est moi qui pose les questions !

— Elle n'est pas là, s'écria mon frère en arrivant comme une furie tout en brandissant le portable de Kandy. J'ai son portable, mais elle n'est plus ici.

Putain, mais quel abruti !

— Dégage de là, lui sifflai-je dès qu'il s'arrêta à ma hauteur.

— Non, Logan, c'est à moi de régler ça.

— Ce n'est pas le moment de jouer les gros bras !

— C'est ma copine !

Je ricanai aigrement.

— Depuis quoi ? Trois heures ?

— Messieurs ? nous interrompit le père de Kandy. Je veux simplement retrouver ma fille. Alors, dites-moi où elle se trouve !

Joshua persista.

— Elle n'est plus ici.

— Où est-elle partie ?

La voix de Stentor était posée, ceci dit, je perçus son exaspération dans ses yeux et ses mimiques.

— Je n'en ai aucune idée, feinta Joshua.

— D'accord…

Stentor se gratta le front et soupira. La tension qui animait son visage ne présageait rien de bon. Je cherchai une parade, mais rien ne me vint à l'esprit. Qu'étaient-ils capables de faire ? Au mieux, fouiller la maison. Cependant, ils étaient en nombre inférieur ici et n'avaient légalement pas le droit de pénétrer dans la bâtisse. Au pire, nous menacer de leurs armes. En jetant un coup d'œil par-dessus mon épaule, je vis le vieux Charles muni d'un fusil sous le porche au côté de Ricardo, Marley, Sarah et deux autres cowboys. J'avais toujours entendu dire qu'il ne fallait pas chercher un Texan, j'en avais la confirmation. Le tableau était digne d'un western. Toutefois, c'était moins attrayant lorsque l'on se trouvait au milieu.

— Le plus jeune, indiqua Stentor à son sbire.

Tout se déroula à une vitesse folle. Le gorille austère s'empara de mon frère. Je ripostai et m'élançai. Trois hommes identiques au premier sortirent des voitures et braquèrent leur arme sur nous. Je m'arrêtai net. Ricardo, Charles et les deux autres cowboys pointèrent eux aussi leurs fusils sur eux. Au centre, je levai les mains tandis que Joshua se débattait.

— On se calme, dis-je.

— Père ! Arrête, hurla Kandy en dévalant les marches.

Mon frère serra la mâchoire et siffla.

— Bordel, Kandy ! Rentre dans cette foutue baraque !

Arrivant à notre hauteur, le visage dévasté par les larmes, elle tenta d'apaiser la colère de son père.

— Père, je t'en prie, ce sont mes amis.

Stentor sortit enfin de la voiture et rajusta son costume d'un mouvement sec, puis se posta dignement devant sa fille. J'étais tout d'abord impressionné par sa taille et sa carrure, mais le plus déroutant dans son allure était la manière dont il regardait Kandy. Je ne captai aucune tendresse, aucun amour, juste du mépris et de la hargne.

— Je rentre à peine d'Europe et je suis obligé de te chercher à travers tout le pays…

Kandy baissa les yeux. Sa cavale était finie. Je ne savais pas ce qu'il adviendrait d'elle, mais lorsqu'elle nous avait expliqué son histoire à Marley et moi, j'avais bien compris qu'elle était contrainte à une vie sans amour et sans libre-arbitre. Je la plaignais de tout mon cœur.

— Monte dans la voiture, cracha-t-il ensuite.

Toujours maintenu par le sbire de Stentor Joshua s'égosilla en se débattant avec rage et force.

— Non, Kandy ! Non ! Ne l'écoute pas…

Mon frère n'eut pas le temps d'en dire davantage. À l'instant même où Kandy disparut dans la limousine, le gorille l'envoya valser contre l'arbre derrière lui. Je me précipitai sur Joshua quand, sonné, il voulut se relever. Il aurait pu lui prendre l'envie d'insister et, à vrai dire, ce n'était pas tellement le moment. Alors, je le maintins fermement par les épaules et l'empêchai de se redresser.

— Non, Josh ! Calme-toi !

— Dégage ! hurla-t-il.

Il me poussa, mais cela ne suffit pas à me faire lâcher prise.

— Au plaisir, nous provoqua Stentor, victorieux d'avoir retrouvé sa fille et de pouvoir à nouveau contrôler sa vie.

Ils finirent par tous remonter dans les voitures tandis que mon frère hurlait encore comme un forcené et me frappait de toutes ses forces dans l'espoir de me faire reculer. Mais je ne le lâchai que lorsque les voitures étaient déjà loin.

— Espèce d'abruti, jura-t-il encore.

Il se mit debout et me fit face, hargneux. Il me bouscula une fois, deux fois. Je l'esquivai.

— Calme-toi ! criai-je plus fort que lui.

— Va te faire foutre !

Il tenta un coup de poing. Je me baissai et le chargeai, puis l'envoyai à nouveau contre l'arbre. Il le percuta violemment du dos. Sa respiration se bloqua. J'en profitai pour lui mettre des claques dans l'espoir de le raisonner.

— On n'avait pas le choix ! Tu m'entends ? Tu voulais que ça tourne au bain de sang ? Kandy est partie de son plein gré.

— De son plein gré ?! Tu ne connais pas son histoire ni sa famille ! Ce sont des tarés ! Elle les a fuis pour de bonnes raisons ! Ils vont l'envoyer je ne sais où et la forcer à se marier avec un vieux... porc !

— Je sais tout ça ! Mais qu'est-ce tu veux qu'on y fasse ?

— L'aider !

— Tu ne peux pas pour l'instant ! On verra plus tard !

Il me poussa à nouveau, mais cette fois, il ne revint plus à la charge. Il fit un pas sur le côté et, d'un regard hautain et méprisant, il me balança :

— Ça aurait été pour Abby, tu l'aurais fait. Tu ne penses jamais qu'à toi. Les autres tu t'en fous.

— Joshu...

Je voulus le retenir, mais Marley s'approcha et m'en empêcha.

— Laisse-le. Il a besoin d'encaisser le coup.

Je restai un instant à le regarder s'éloigner le long du chemin, abattu, titubant et menaçant de perdre l'équilibre à chaque pas.

— Il n'ira pas bien loin, poursuivit-elle en venant se blottir contre moi.

Elle me passa une main sur le visage et, d'une voix douce, elle s'inquiéta.

— Tu es blessé, tu saignes.

Mon frère m'avait légèrement griffé. Cela me piquait un peu, mais ce n'était rien de grave. Je reculai. J'étais sous le choc de ce qu'il venait de se passer. J'avais envie de la serrer fort contre moi et de l'embrasser, mais j'étais censé être avec Sarah, donc supposé trouver du réconfort dans ses bras. Cette dernière ne tarda pas à nous rejoindre ainsi que Ricardo et les deux autres cowboys. Je pris Sarah contre moi et serrai la main aux autres pour les remercier d'être intervenus.

— Merci, dis-je à Ricardo.

— Appelle-moi Rick.

Il me tapota amicalement l'épaule. Je hochai la tête et reportai mon attention sur Sarah.

— Ça va ? me souciai-je en m'apercevant qu'elle tremblait.

— J'ai eu si peur.

Elle m'étreignit avec force en calant sa tête contre mon torse. Je déposai un baiser sur ses cheveux et croisai le regard de Marley. Son visage était doux et ses yeux brillants reflétaient une tendresse inouïe. Je dus me faire violence pour cesser de la regarder et ravaler l'envie de me précipiter vers elle.

— Bon, eh ben ! C'est animé depuis votre arrivée, ricana Rick en nous passant tour à tour du regard. On va se boire une autre bière avant le dîner ? On peut plus rien pour votre amie, de toute façon.

J'acceptai malgré mon inquiétude pour Kandy et mon frère. Sarah me lâcha et, quand nous prîmes le chemin de la maison, Marley me demanda si elle pouvait me parler en privé. Je la suivis après m'être assuré que cela ne dérangeait pas Sarah.

Une fois à l'écart dans l'écurie, je m'enquis.

— Qu'est-ce qu'il se passe, tu as reçu un nouveau message ?

— Non, dit-elle d'une voix enrouée.

Avant que j'eus le temps de comprendre quoique ce soit, elle m'attrapa par les cheveux pour amener mon visage tout près du sien. Elle prit ma bouche avec hargne et désespoir. J'accueillis son baiser dans un gémissement profond. C'était exactement ce dont j'avais besoin et, même s'il n'y avait aucune tendresse dans cet échange, j'en redemandai encore, jusqu'à plus soif. Enivré par ses lèvres, j'entrouvris les miennes et, au contact de sa langue, mon corps s'électrisa. Mon désir enfla et mes mains trouvèrent la chaleur de sa peau. Sous son tee-shirt, je les remontai et trouvai sa poitrine, mais elle s'écarta et rompit tout contact.

— J'ai eu peur Logan, j'ai... j'ai cru que tout allait mal finir.

Je la ramenai contre moi, elle m'enlaça et, déposant un baiser sur son front, je chuchotai.

— Tout va bien.

Puis, je souris, attendri qu'elle eût été effrayée.

— Finalement, tu tiens à moi.

— Évidemment !

— Et ce baiser, c'était quoi ?

Elle retrouva le sourire.

— Réaction chimique due au stress.

Je lui rendis son sourire.

— Marley ?

— Hum… ?

— Rappelle-toi de venir me voir à chaque fois que tu es stressée.

Elle rit, et je me délectai de ce son clair. Lorsqu'elle se tut, elle plongea un regard intense dans le mien, un de ceux qui me faisait rapidement chavirer.

— Logan ?

— Hum… ?

— Tu avais raison tout à l'heure ; je ne suis pas assez méfiante. On est bel et bien tombé dans un piège, et une chose est certaine, c'est que j'ai besoin de ton aide. Alors, ne pars pas, s'il te plaît.

— Je ne partirai pas tant qu'on n'aura pas réglé cette affaire.

— Merci.

Après ce bref moment de complicité, nous rejoignîmes les autres sur la terrasse et bûmes nos bières. Pendant que Marley et Ricardo discutaient des derniers événements, je me passai mentalement mille et une façons de rompre avec Sarah sans la blesser. Je me voilais la face encore une fois. Une rupture n'est jamais joyeuse. Je m'inquiétais aussi pour mon frère. Il avait fini par s'asseoir contre le tronc d'un arbre sur le chemin près des enclos. D'où j'étais, j'apercevais sa silhouette et j'avais remarqué qu'il téléphonait à plusieurs reprises. J'aurais aimé l'aider ainsi que Kandy. Cela dit, comment lutter contre une famille si riche et aux moyens innombrables ? Je me fis la promesse d'essayer dès que j'en aurais fini avec les histoires de Marley. Je ne pouvais pas laisser mon frère seul face à cette situation.

La cloche indiquant le repas finit par sonner, Joshua nous rejoignit durant le dîner et m'expliqua qu'il avait eu nos parents au téléphone. Il voulait partir d'ici le lendemain. Ce que je pouvais comprendre, même si ces quelques jours avec lui m'avaient fait du bien et que j'aurais souhaité qu'il reste encore un peu.

# CHAPITRE 21

La nuit tomba. Je suivis Sarah dans notre chambre vers minuit. Elle avait passé le repas et la soirée à nous surveiller, Marley et moi. Je voyais dans ses yeux qu'elle sentait naître quelque chose entre nous. Pourtant, je faisais tout pour cacher mes sentiments et ma jalousie maladive envers Ricardo qui ne cessait de draguer Marley. Ce soir-là, je me forçai à faire l'amour à Sarah. Je voulais vraiment masquer et surtout retarder l'inévitable explication.

Traçant des cercles sur mon ventre, Sarah me demanda :

— Tu voudras des enfants plus tard ?

Surpris par la question, je me redressai, ahuri, et mes poils se hérissèrent.

— Pourquoi tu me demandes ça ?!

Elle haussa les épaules, gênée.

— Comme ça, par curiosité.

Je me rallongeai, mal à l'aise.

— Alors ? insista-t-elle.

— Écoute, je n'en ai aucune idée. Ce n'est pas le genre de chose à laquelle je pense, là, de suite.

— Et tu penses à quoi ?

Je soupirai. *Ne pouvait-elle pas me laisser m'endormir tranquillement au lieu de me poser ces questions stupides ?*

— Je…

Je me tus lorsque mon téléphone sonna. Je l'avais posé sur la commode en face du lit ; Sarah bondit pour s'en emparer. Je vis rapidement à ses traits que cet appel ne l'enchantait guère.

Je m'enquis.

— C'est qui ?

Elle me le jeta sur les jambes et souffla :

— Marley !

*Marley ?!*

Je m'en saisis et décrochai, inquiet.

— Tout va bien ?

Je ne captai tout d'abord qu'une respiration lointaine.

— Marley ?! Ça va ?

Je perçus un reniflement et, lorsque j'allais insister, elle murmura enfin.

— Logan… je suis derrière l'ancien silo. Quelqu'un me suit…

— Quoi ?! m'écriai-je. Qu'est-ce que tu fous là-bas seule en pleine nuit ?!?

— Je… je t'expliquerai, mais viens, s'il te plaît. J'ai une peur bleue.

— Bon sang ! Cache-toi et ne bouge pas d'un pouce, j'arrive !

Je ne lui laissai pas le temps de répondre et raccrochai.

Je me levai à la hâte sous les yeux irrités de Sarah. J'enfilai mon jean à même la peau et mes baskets. Sentant le poids de son regard sur moi, je me tournai vers elle.

— Quoi !?

— Tu vas encore la rejoindre ? me reprocha-t-elle.

— Elle a besoin de moi, alors oui, j'y vais !

— Moi aussi j'ai besoin de toi, ici.

Je plongeai mes yeux furieux dans les siens. Ce n'était vraiment pas le moment de me faire une scène.

— Tu es seule en pleine nature, la nuit et menacée par quelqu'un ?

— Non.

— Alors, tu n'as pas besoin de moi dans l'immédiat.

Je fis un pas vers la sortie.

— Logan ! cria-t-elle.

Je pivotai à nouveau pour lui faire face et la fusillai du regard. Elle baissa les yeux. Je ne m'attardai pas davantage, vivement inquiet pour Marley.

Je courus jusqu'au silo. Je fis le tour en l'appelant. Elle sortit d'un buisson, apeurée et se jeta dans mes bras.

— Qu'est-ce que tu foutais ici ?

— J'étais, hésita-t-elle. J'étais avec Ricardo et...

Je reculai et lui fis signe de se taire. Je n'avais pas envie d'en connaître davantage sur ce qu'elle fricotait avec lui ici.

— Où il est passé, cet abruti ?

— On discutait. Il est allé nous chercher de quoi boire, mais il n'est pas revenu...

Elle s'interrompit un court instant et, levant des yeux terrifiés sur moi, elle continua en s'embrouillant dans ses paroles.

— Quelqu'un était là tout à l'heure et si... Et si c'était... et s'il s'en était pris à Rick ? J'ai entendu quelqu'un siffler, Logan !

— Ne restons pas là.

Je lui tendis la main.

— Viens ! On va retrouver ce débile...

Nous fîmes le tour du bâtiment et on fit chou blanc. Aucune trace de Ricardo. Où pouvait-il bien être passé ? Non pas que je lui portais un réel intérêt, mais cela devenait tout de même inquiétant. Nous allâmes devant l'écurie et, lorsque nous décidâmes de prévenir du monde de sa disparition, nous le vîmes enfin revenir du silo deux bières en main, l'air hébété.

— Tu étais où ? demanda-t-il à Marley en passant un long regard sur moi.

— C'est plutôt à toi que…

Marley se tut quand mon poing percuta la mâchoire de ce con. Cela me démangeait depuis un bon moment, il fallait que je le fasse. Sonné, il tituba et laissa tomber les bières qui éclatèrent par terre.

— Tu ne la laisses plus jamais seule en plein milieu de la nuit, crachai-je.

Je me tournai vers Marley, prêt à essuyer sa colère. Mais je fus surpris de la voir une main sur la bouche, tentant de retenir un fou rire.

Ricardo ne riposta pas et tant mieux, car vu mon état nerveux, j'en aurais fait de la bouillie de ce merdeux.

Depuis ce soir-là, je ne lâchai plus Marley d'une semelle tant j'avais eu peur pour elle et, plus les jours passaient, plus je me rendais compte que je tombais à nouveau amoureux. Oui, ce sentiment était bien ancré en moi. La sensation de plénitude me transportait à chaque fois qu'elle était en ma présence et cela ne me trompait plus. Quant à elle et ses sentiments envers moi, j'étais incapable de discerner le moindre signe m'indiquant qu'elle était éprise de moi. En même temps, Marley était comme ça. Elle ne se dévoilait que très peu. Parfois, j'avais l'impression d'être important à ses yeux, d'autres fois moins. Surtout dans les rares moments où elle flirtait encore avec Rick. Ces instants où j'en voulais à la terre entière, où je lui en voulais à lui d'être là et de me voler ses sourires, ses rires et ses regards insistants. Je ne pouvais m'en prendre qu'à moi-même, car plusieurs jours passèrent depuis le départ précipité de Kandy et ce soir-là, et je n'avais toujours pas rompu avec Sarah. Vous allez me dire que je suis un imbécile, je ne peux que vous donner raison. Il m'aurait suffi de le faire et d'accourir vers Marley pour lui avouer mes sentiments pour elle, mais j'avais la trouille. Je pouvais me buter à un refus et je ne pensais pas être assez fort pour le supporter.

Mon frère partit deux jours après l'incident de Kandy. Je l'avais eu sur Messenger, ce matin-là. Il était arrivé à reprendre contact avec Kandy via Facebook. Je ne savais pas ce qu'ils mijotaient tous les deux, mais lorsqu'il m'avait annoncé son départ imminent pour Miami, j'avais compris qu'il allait la rejoindre.

Quant au maître-chanteur de Marley, il avait intensifié ses Snapchat au cours de ces trois derniers jours. Nous y étions tous passés. Mais, celui qui m'avait le plus fait enrager, c'était le message vidéo montrant Sarah en train de lire sur la balancelle et le message la menaçant directement. Il disait clairement qu'il pouvait et avait l'intention de s'en prendre à elle en premier. Pourquoi ? Et pour quelles raisons ? Dans quel but ? C'était un mystère. Il n'était plus question d'argent. Cet enfoiré nous épiait, écoutait nos conversations, nous suivait. C'était quelqu'un qui était à la fois proche de nous et insaisissable. Nous avions parlé d'arrêter notre petite enquête infructueuse et de mettre la police au courant, mais il nous avait menacés une nouvelle fois avec la vidéo de Sarah.

« *Police = morte.* »

La seule et unique piste que nous tenions venait du père de Kandy : *Loreen Hopewell.* Quand j'en avais parlé à Marley, un souvenir lui était revenu. « *Hopewell* » était le nom de famille de la petite Maddy morte il y a de ça dix ans, sur les terres des Hopkins après sa tragique chute à cheval. Il s'agissait donc d'une vengeance, et notre suspect devint une suspecte. La liste se rétrécissait, vu que les femmes ici étaient peu nombreuses. En disculpant Sarah et Marley, puisqu'elles étaient menacées, il ne restait plus que Marita, mais elle paraissait trop gentille et bien trop investie dans le domaine. Suzy, quant à elle, avait été celle qui m'avait parlé de Maddy en premier. Isobel, l'aide-soignante, qui avait un accès direct au père de Marley par les soins qu'elle lui prodiguait. Et une jeune stagiaire du prénom d'Anna que je n'avais vue que très rarement et que Marley ne paraissait pas connaître. Anna était discrète et aurait très bien pu être cette Loreen. Un matin, nous avions même fouillé le bureau de Paul Hopkins, dans l'espoir de trouver quelque chose sur Maddy Hopewell, mais nous avions fait chou blanc. Aucune lettre d'avocat, aucun article de journaux. Rien. Quelqu'un semblait être passé avant nous. Même la recherche de la plaque d'immatriculation qu'avait relevée Marley sur un Snapchat ne donna rien. Elle ne correspondait à aucun véhicule au ranch. Nous avions ensuite tenté une approche avec son père. Il n'était hélas pas dans un bon jour et nous avait rabâché son histoire avec le voisin. Marley avait été à nouveau dévastée, mais elle s'était rapidement relevée à la force de sa volonté, et je l'admirais pour ça. Nous avions alors pris la décision de nous rendre à la bibliothèque de Freeport, pour parcourir les

253

archives des journaux locaux, mais hélas, nous étions dimanche, l'établissement était fermé.

# CHAPITRE 22

— Sarah ne te dit rien au sujet de nos longues balades ? me demanda Marley, alors que nous marchions côte à côte dans un champ en friche de la propriété.

Nous avions pris cette habitude depuis ces trois derniers jours. Nos promenades nous permettaient de parler librement de notre enquête loin des oreilles indiscrètes.

Je pinçai une herbe haute, l'arrachai pour ensuite la porter à la bouche. Mâchouillant la tige, je lui répondis.

— Nope, et je m'en fiche.

— Est-ce qu'un jour, j'arriverai à te comprendre ? me sortit-elle brusquement.

— C'est-à-dire ?

— Tu ne l'aimes pas, cette fille ! Ça se voit à dix bornes et pourtant, tu ne romps pas, alors que je t'entends tous les jours dire que tu vas le faire.

J'admis.

— Je sais, je sais. Mais je n'y arrive pas.

— Pourquoi ?

— Je ne sais pas, dis-je en haussant les épaules. Peut-être que j'aime bien le fait d'être à nouveau en couple.

Elle rit, puis secoua la tête.

— C'est assez égoïste, mais c'est bon signe pour ton avenir sentimental.

J'avouai. C'était très égoïste et lâche de ma part, mais, à chaque fois que j'essayais, que je me lançais, j'avais une boule au ventre, une sensation de perte de contrôle très inconfortable.

— Tu n'as jamais été avec quelqu'un et eu l'envie de rompre, mais tu en es incapable à cause de l'attachement que tu portes à cette personne ?

— Si, je vois très bien de quoi tu parles. J'ai déjà ressenti ça avec mon ex-époux. Mais, dans ton cas, ne penses-tu pas que c'est ton amour pour Abby qui te freine ? Je veux dire, la ressemblance est frappante et, niveau caractère, je ne connaissais pas Abby, mais si j'en crois la façon dont tu me l'as décrite, elles sont assez similaires. Tu pourrais faire un amalgame entre les deux, non ? Et avoir peur de perdre Abby une seconde fois ?

— Tu as peut-être raison…

— J'ai toujours raison, railla-t-elle avant de me balancer. Vous avez toujours des relations sexuelles ?

Son indiscrétion me fit rire. Elle était toujours très cash, et j'aimais ça.

— Oui, toujours.

Suite à mon aveu, elle fit de longues enjambées pour me dépasser et se posta devant moi en me barrant le chemin, les yeux emplis d'espièglerie.

— Tu arrives à prendre ton pied en sachant que tu veux rompre avec elle ?

— Je suis un homme ; c'est mécanique chez nous. Et ce n'est pas si différent que deux amis qui couchent ensemble, non ?

Bon, j'admets, la fin de ma réponse était une solide allusion à nos ébats dans l'océan. Celui que je rêvais de recommencer. C'était une vaine tentative d'obtenir enfin son avis sur la question.

— Tu marques un point.

Elle se contenta de ces quatre petits mots.

— Bon, et toi, Madame « je ne veux pas me mettre en couple » ? Qu'en est-il ?

— Mademoiselle, tu veux ? me réprimanda-t-elle avant de répondre, le regard étincelant de malice. Je me masturbe.

J'éclatai de rire et ravalai aussitôt les innombrables images excitantes que ma libido m'envoyait. Sa façon naturelle de me sortir cela me fit carrément craquer. J'aimais sa spontanéité, sa fraîcheur.

— Quoi ? ricana-t-elle. On n'est jamais mieux servi que par soi-même.

— Tu as encore, et une nouvelle fois, raison.

Mon esprit divagua sur une crainte qui me poursuivait depuis le soir du silo. À vrai dire, je n'avais pas tellement envie de connaître la réponse, mais il me fallait savoir sinon cela allait finir par me rendre dingue.

— Dis-moi puisqu'on parle de ça. Tu… tu as couché avec Ricardo ?

— Non ! s'offusqua-t-elle.

— Non ?

— Non, Logan, il ne m'intéresse pas le moins du monde. Il est sympa, mais ce n'est pas mon style d'homme.

Je repris ma route en la contournant. Rester là au milieu du champ ne me dérangeait pas, mais le sourire idiot qui s'affichait malgré moi sur mon visage aurait pu me trahir. Alors, je cherchai à l'éviter le temps de me reprendre.

— Et… C'est quoi ton style d'homme ?

— Les bruns aux cheveux courts et dotés de somptueux yeux bleus, tout malheureux…, laissa-t-elle sous-entendre dans une moue adorable.

Je répondis du tac au tac.

— Donc, je suis ton style ?

— Évidemment, rigola-t-elle. Sinon nous n'aurions pas fait ce que nous avons fait.

— Fait ce que nous avons fait ? Clairement, tu veux dire : coucher ensemble ?

— C'est exact ! dit-elle dans un magnifique sourire.

Encore contre ma volonté — et cela m'agaçait au plus haut point —, mon cœur s'emballa. Un léger frisson me traversa le corps des pieds à la tête. C'était un sentiment familier quand j'étais avec elle. Je n'essayais même plus de le contrôler, tant j'étais accro et en constante demande.

— Logan, lâcha-t-elle en mettant un soudain terme à sa marche. Je suis très, très stressée, aujourd'hui.

Je m'arrêtai et me tournai. Son visage était rayonnant, loin d'être troublé par le stress. Elle paraissait plutôt détendue et heureuse. Je percutai alors le message. Je m'avançai d'un pas vers elle. Elle sourit plus largement.

— Tu veux dire que tu es sur le point d'avoir une réaction chimique comme l'autre jour dans l'écurie.

Elle esquissa une divine et jolie grimace.

— Il se pourrait bien, oui.

— Alors, il faut remédier à ça au plus vite, dis-je en franchissant le dernier pas qui me séparait d'elle.

Du bout de l'index, je lui soulevai le menton pour atteindre ses lèvres et les survolai de ma bouche.

— Embrasse-moi, susurra-t-elle, impatiente.

— À vos ordres, M'dame.

Je souris, sachant très bien qu'elle avait horreur que je l'appelle ainsi. Et comme je l'avais anticipé, elle m'envoya un léger coup de poing dans le ventre en grognant. Je ris tout en passant mes mains sous ses cheveux et finis par l'embrasser en savourant chaque seconde de notre baiser.

— Mmm, gémit-elle. Je crois que tu es l'homme qui embrasse le mieux sur cette planète.

Ravi du compliment, je souris plus largement, puis ralentis langoureusement le mouvement de ma bouche. Je lui mordillai délicatement la lèvre inférieure avant de la prendre à nouveau avec douceur. J'immisçai ma langue et l'enroulai à la sienne, alternant fougue et passion. Ce que je ressentais était à la limite du malaise tant j'avais le tournis. Je voulais cette femme. Je la désirais ardemment. J'en voulais toujours davantage, et sa gestuelle, ses mains qui se glissaient sous mon tee-shirt et me caressaient doucement le dos, m'encourageaient à poursuivre.

Je quittai sa bouche, agrippai l'ourlet de son débardeur et le soulevai tandis qu'elle m'aidait dans ma tâche en levant les bras. Une fois son vêtement au sol, je réservai le même sort à mon haut, puis l'embrassai à nouveau. La connexion entre nous était explosive. L'attirance physique entre nous était évidente, mais j'étais certain à cet instant qu'il y avait plus... vraiment plus. Elle était réceptive à tous mes gestes, toutes mes caresses. Elle se cambra en avant pour être plus proche encore de moi. Je sentis son envie irrésistible de ne plus former avec moi qu'une seule et même personne tout en amour et en tendresse. Je l'aimais. J'étais fou d'elle. J'avais envie de le lui dire. Je ne le fis pas. Il était trop tôt... Pourtant, je n'avais que ces trois petits mots au bout des lèvres : « *Je t'aime* ».

Mes doigts trouvèrent son soutien-gorge. Je le lui dégrafai. Elle le laissa glisser le long de ses bras, puis se recolla aussitôt contre moi. Je sentis ses tétons dressés sur ma peau et ma main continua de se balader sur son dos. Dans un mouvement qui la surprit, je la basculai en arrière pour l'allonger dans les herbes hautes. En appui sur mes coudes, au-dessus d'elle, je la contemplai avant de plaquer mes hanches contre son bassin. Elle était à moi. Elle me dévora du regard et accrocha mes cheveux pour attirer mon visage vers le sien. Je l'embrassai. Mon portable qui se trouvait dans la poche avant de mon jean se mit à vibrer, puis sonner. Je grognai, agacé. Je plongeai une main pour l'en extirper sans quitter sa bouche pour autant. Je jetai un coup d'œil à l'écran. C'était mon frère. *Il choisissait bien son moment, bordel !* Cela dit, il allait attendre. Je balançai mon portable sans répondre et repris là où nous en étions. Quelque secondes plus tard, il rappela. Je m'en fichais. Marley grogna à son tour tout en déboutonnant mon jean. Elle passa ses doigts sous l'élastique de mon boxer et caressa mon pénis déjà dur tant j'étais excité. Je me redressai et, dans un geste nerveux, je lui ôtai son short et son string.

Ce foutu téléphone de merde se remit à sonner.

— Putain de bordel... criai-je, hargneux.

Marley soupira.

— Réponds !

Je m'étirai pour attraper mon portable et décrochai.

— Quoi ?

— Hou là, me répondit Joshua, surpris par mon ton excédé. Euh... ça va ?

261

S'il m'appelait en insistant trois fois juste pour me demander si j'allais bien, j'allais vraiment péter les plombs.

— Oui ! Ça allait parfaitement bien jusqu'à ce que tu appelles ! Qu'est-ce qu'il y a ?

Je finis par m'asseoir lourdement aux côtés de Marley.

— Tu as l'air enchanté de m'entendre ; ça fait plaisir, ironisa-t-il. Bref, ce matin, tu m'as demandé de contacter Kandy au sujet de Loreen Hopewell et de trouver le lien avec son père. Résultat : il n'y en a pas. Son père a juste la fâcheuse tendance de fouiner dans la vie de tous ceux qui fréquentent Kandy. Tout le monde y est passé, au ranch. Toi, moi, tout le monde. Par contre, Kandy a pu farfouiller dans les affaires de son père et a trouvé quelques renseignements intéressants. Loreen Hopewell, âgée de vingt-cinq ans, est recherchée par la police depuis trois ans pour usurpation d'identité et braquage à main armée. Kandy n'est pas arrivée à trouver sa photo, mais on ne désespère pas de trouver. Elle doit bien être fichée dans les personnes recherchées, alors ça ne devrait plus tarder. Ensuite, pour ce qui est du lien avec Marley, vous aviez raison : Maddy et Loreen sont de la même famille. Elles étaient demi-sœurs. Je pense que c'est une question de vengeance. Voilà, mec, faites gaffe à vos fesses !

Je croisai le regard de Marley qui avait tout entendu, puisque j'avais branché le haut-parleur dès que j'avais compris qu'il nous amenait des informations.

— O.K., merci, Josh. On reste prudent et, dès que tu as sa photo, envoie-la-moi.

— Ah ! J'oubliais. On a celle de Maddy. Je te l'envoie.

— Super, merci.

— Et, euh… désolé de t'avoir dérangé.

— T'inquiète, ça ira, dis-je avant de me soucier. Comment va Kandy ?

— Pas très bien.

— Et toi ?

— Non plus.

— Promis, dès que j'en ai fini avec cette histoire, je viens vous filer un coup de main.

— Ne t'en fais pas, ça ira, lâcha-t-il. Bon, et toi ? Tu as avoué tes sentiments à Marley ? T'as rompu avec Sarah ?

*Quel con !*

Embarrassé, je trouvai à nouveau le regard de Marley qui haussa les sourcils, perplexe. Je flippais déjà quant à sa réaction. Que pensait-elle ? Pourquoi ne voyais-je aucune émotion passer sur son visage ? Rien, à part peut-être de la perplexité et un infime trouble. Elle cligna rapidement des paupières et baissa les yeux.

— Josh, je te laisse, dis-je avant de raccrocher.

— Est-ce que tu penses comme moi à Anna ? me questionna-t-elle en attrapant ses affaires et en les calant entre ses cuisses et son ventre.

— Anna ?

— La stagiaire que l'on suspectait. Elle doit avoir dans les vingt-cinq ans, non ?

Donc, c'était ça ? Elle allait ignorer ce qu'elle venait d'apprendre sur mon ressenti et faire comme si de rien n'était ? Je ne répondis pas et scrutai mon téléphone lorsque le « Ping ! » de la notification de Messenger m'indiqua le message de mon frère. Je l'ouvris.

— Merde ! lançai-je en voyant apparaître la photo.

— Quoi ?

Marley se pencha et s'appuya contre mon bras pour regarder le cliché de Maddy Hopewell. Cette petite fille d'une dizaine d'année décédée tragiquement.

— C'est Maddy ?

Je soupirai en crispant la mâchoire.

— Oui… Plus connue sous le nom de Rebecca…

— Quoi !?

— Regarde bien la photo.

Elle s'empara de mon téléphone et agrandit le portrait en glissant son index et son pouce sur l'écran.

— Rebecca, la fille de Ricardo ?

— Oui, regarde la tache de naissance en forme de lune sur son menton. Cette enflure nous a bien roulés dans la farine.

— Tu penses qu'il est le complice de cette Anna ?

— En plus d'être son complice, je suppose qu'il est aussi de la famille, un frère, un cousin, peu importe !

264

Je vis passer mille et une expressions sur le visage de Marley. L'étonnement, le dégoût, puis la peur. Une frayeur bien palpable animait ses traits. Je voulus la prendre dans mes bras et la rassurer, mais une soudaine crainte me tordit l'estomac.

— Sarah, dis-je en me levant d'un bond.

— Quoi, Sarah ?

— Il a tenté de se rapprocher d'elle, ces derniers jours, et moi, comme l'imbécile que je suis, je la laisse seule avec lui. Il pourrait...

Je me tus lorsque j'entendis les sabots d'un cheval heurter la terre sèche. Je me retournai. À environ cent mètres, une main posée sur sa bouche comme si notre vue lui donnait la nausée, Sarah passa son regard empli de colère tour à tour sur nous.

Ça y était. C'était fini. Elle savait. Les traîtres que nous étions étaient démasqués. Elle venait de percuter en me voyant torse nu, le jean à moitié défait et Marley nue. Le temps s'était figé. Seule la nervosité du cheval qui balançait la tête à cause de la tension qu'exerçait Sarah sur les rênes me démontra que la terre tournait encore et que la vie continuait. Je fis un pas et tendis un bras, prêt à sortir une énormité du genre : « *Ce n'est pas ce que tu crois.* » Sauf que, bien évidemment, c'était ce qu'elle croyait. Nous nous apprêtions à faire l'amour. Alors, je gardai le silence. Sans une parole, elle ordonna à la jument de faire demi-tour et s'en alla au galop en direction du ranch. Je m'en voulais. Je ne souhaitais pas qu'elle l'apprenne d'une manière aussi brutale. Nous avions joué avec le feu. Nous nous étions brûlés, et Sarah souffrait.

# CHAPITRE 23

Je courus à travers champ pour rejoindre Sarah. Marley me suivait. Je ne pouvais pas laisser Sarah dans cet état sans lui donner d'explication. Ce n'était pas moi, ça. Non. J'avais merdé grave. J'étais allé au bout de ma connerie. J'avais été abject, ignoble. Je n'avais pensé qu'à moi et à satisfaire mes désirs. J'avais été égoïste. Je n'étais pourtant pas ainsi auparavant. Que m'était-il arrivé ? Je pensais reprendre en main ma vie après Abby. Mais il n'en était rien. J'avais toujours la tête profondément enfouie dans un sable épais et étouffant. J'avais honte de moi. Honte de mes agissements. Les raisons allaient-elles apaiser sa colère ? J'en doutais… Peut-on amener du sens à la trahison ? Non. Une trahison reste une trahison. J'avais été attiré par Sarah pour sa ressemblance avec mon amour perdu, et j'étais tombé amoureux de Marley pour son caractère et sa beauté. Ce regain de sentiments aurait dû me montrer le chemin. Mais non ! Idiot et têtu, j'avais fermé les yeux.

Essoufflé, j'arrivai enfin à une centaine de mètres de la maison, et le spectacle qui se jouait devant moi me coupa les jambes. Était-il trop tard ? Non. Avec effroi, j'accélérai la cadence. Sarah se débattait et hurlait tant qu'elle pouvait, hystérique. Ricardo la maintenait fermement par la taille et la traînait vers son van. Pourquoi personne ne venait l'aider ? Où étaient-ils tous passés ? Il n'y avait pas un chat dans la cour. Ricardo ouvrit la portière passager et la balança dedans comme une vulgaire poupée, puis l'enferma en verrouillant la fermeture centralisée.

Je hurlai.

— Sarah !

Son fusil à l'épaule Ricardo l'attrapa et le prit en main tout en contournant le véhicule. Il m'observa un court instant, braqua l'arme sur Sarah le temps d'ouvrir la portière et prit place au volant. J'arrivai. Arme ou pas, j'étais à quelques mètres, prêt à m'élancer, mais il démarra sur les chapeaux de roues, créant un épais nuage de poussière dans le sillon de la camionnette.

Il tenait Sarah. Il allait s'en prendre à elle. Je courus encore vainement après le van noir de cet enfoiré. Nous aurions dû nous méfier. Je le savais, je l'avais senti, mais personne ne m'avait écouté.

Lorsque le véhicule disparut dans le virage, j'abandonnai, à bout de souffle, le cœur battant à une vitesse folle. J'avais l'impression qu'il allait s'extraire de ma poitrine tant il cognait fort. L'air sec que j'inspirai et expirai m'arracha la gorge. Le sprint n'avais jamais été mon fort. Mes jambes tremblèrent. Elles finirent par me lâcher. Je tombai à genoux sur la terre desséchée et poussiéreuse. C'était fini. Il avait mis ses menaces à exécution. Il l'avait bel et bien kidnappée sous mes yeux, sans que je ne puisse rien faire.

Je regardai autour de moi. Il faisait tout à coup si calme. Je ne perçus que le fond sonore des oiseaux qui piaillaient et les hennissements des chevaux dans leur enclos. Mes oreilles se mirent alors à bourdonner et le poids de la culpabilité s'empara de mon esprit. J'avais tout foiré. Tout était de ma faute. Cependant, je n'avais pas le temps de m'apitoyer sur mon sort. Je devais réagir. Il en allait de la sécurité de Sarah. Je tentai fébrilement de me relever. Où était passée Marley ? Je tournai la tête. Elle n'était plus derrière moi. Elle avait, elle aussi, disparu. Soudain, le moteur de mon vieux tacot rompit la paix environnante.

Dans un dérapage, Marley se gara à ma hauteur, laissa le moteur allumé et descendit du pick-up.

— Prends le volant, m'ordonna-t-elle, tout aussi affolée que moi de savoir Sarah en danger.

Nous avions une ou deux minutes de retard sur le van. On pouvait le rattraper. J'en étais certain. Il n'y avait pas d'autre option que de suivre le chemin qui longeait les champs et le bois sur plus de trente miles avant le carrefour de Freeport.

Je sautai sur le siège conducteur tandis que Marley prenait place à mes côtés. Je démarrai en trombe. Pied au plancher, je me lançai à leur poursuite. Ma vielle carcasse rouillée peina à atteindre les cents miles par heure.

Marley rompit le silence.

— Logan ?

— Quoi ! grognai-je rudement.

Elle me lança un regard noir. Je le méritais cependant. Je n'avais pas à m'énerver contre elle. Si je devais en vouloir à quelqu'un, c'était à moi et à moi seul.

Je me repris.

— Désolé. Qu'est-ce qu'il y a ?

— Je suis navrée.

Je croisai son regard sincère et baissai les yeux sur sa main qui vint envelopper la mienne sur le volant. Les choses auraient pu être différentes si nous avions fait les bons choix. Cette observation se reflétait dans ses yeux, et je ne pouvais qu'acquiescer. Je hochai légèrement la tête et reportai mon attention sur la route.

Arriverions-nous à les rattraper à temps ? Plus le paysage texan défilait, plus j'en doutais, et cette constatation me mit dans une rage folle. Je m'emportai et tapai furieusement contre le volant.

*Putain... !*

Nous arrivâmes presque au carrefour. Celui où nous allions définitivement perdre leur trace. Mon téléphone se mit à biper. Je le lançai à Marley. Elle le déverrouilla et regarda de quoi il s'agissait.

— Oh, mon Dieu, lâcha-t-elle, consternée.

— Quoi ?!

— Arrête-toi, s'affola-t-elle.

— Quoi ? Pourquoi ? Qu'est-ce que c'est ?

À cinquante mètres du carrefour, je ralentis, tiraillé entre l'espoir d'apercevoir ce foutu van et les ordres de Marley m'intimant de m'arrêter.

— Montre-moi ce putain de portable, Marley ! dis-je, furieux.

Entre un regard sur la route et un coup d'œil sur elle, elle me tendit l'écran où s'afficha une photo que venait de m'envoyer Joshua et murmura.

— Loreen Hopewell.

Atterré, je mis un brusque et grand coup de frein.

— Attention ! hurla tout à coup Marley, à s'en briser la voix.

Stationné au milieu du carrefour, je tournai la tête à gauche et n'eus que le temps de voir le van conduit par Ricardo, nous… …

# CHAPITRE 24

*Aujourd'hui…*

Des bruits, des mouvements autour de moi, des sensations qui se bousculent. Des odeurs, des émotions. Une émotion entre toutes : la peur. Non, plusieurs émotions. Le vide, le néant, le flottement ou l'absorption de mon corps dans une abysse. Je ne vois rien. Tout est noir. Je ne peux ouvrir les yeux. Pourtant, j'essaie, mais les moindres captures de mes rétines me grillent le cerveau. Les flashes en rafale pareils à ceux de milliers d'appareils photos. Ceux qui nous éblouissent. Je suis en train de penser donc je ne suis pas mort. Enfin, je suppose, puisque je ne sais pas ce qu'il y a après la mort. Ai-je été trop cartésien ? Est-ce que le paradis existe ? Est-ce que le soulagement après l'effroi, l'apaisement étrange que je ressens constitue ce que l'on appelle la mort ? La fin ? Durant un instant, ma vision ou plutôt mon esprit — je suis incapable de le déterminer — happe une image d'Abby. C'est elle, j'en suis certain. Je la reconnais même si tout est flou. C'est sa voix, elle murmure mon prénom. Elle me parle. Je la sens.

Puis, la douleur, fulgurante, survient, faisant s'évaporer la vision d'Abby. Une souffrance immonde, insupportable se répand en moi. J'ai une intenable envie de sortir de mon corps, de ma peau. Je veux l'arracher, ôter cette enveloppe douloureuse qui me fait suffoquer. Mes gestes sont presque impossibles, lourds. Mes membres semblent écrasés par un poids imaginaire.

Marley... ?

Ce nom me foudroie tout à coup l'esprit. Je... je...

— Marley ?

Ma voix vient de prononcer ce mot, ces lettres qui reflètent l'apparence d'une personne, d'un beau visage. Les images d'une magnifique femme aux cheveux lisses et bruns se succèdent les unes aux autres. Cette fille est somptueuse. Je l'aime... Enfin ! C'est la sensation que j'éprouve à l'instant. Je ne sais pas d'où cela provient. Plus rien n'a de sens. C'est un flot d'amour, une vague qui m'engloutit et me noie.

— Marley... prononcé-je encore.

— Mon chéri, on est là.

Une lumière soudaine et brutale m'aveugle. Les sons me parviennent plus clairement. Je capte des chuchotements et des bourdonnements lointains, des chariots qui roulent. J'ai mal, très mal au niveau d'un de mes bras, et ma tête est comme prise dans un étau. Mon crâne est une caisse de résonance à lui seul. Je sens les muscles de mes paupières se contracter et se relâcher. Je suis à nouveau ébloui. Je me concentre malgré tout sur les formes qui peu à peu dessinent une silhouette familière.

Ma mère.

*Que fait ma mère ici ?*

*Et ici, c'est où ? Je suis où ?*

J'ai un sentiment de déjà-vu. Je panique. Abby. L'accident.

— Abby ! hurlé-je.

Une main chaude et réconfortante s'appuie sur mon épaule nue.

— Calme-toi, mon chéri.

L'intonation douce et apaisante de ma mère me sort de ma stupeur. Ma vision s'éclaircit et je distingue davantage ce qui m'entoure. Mon père, aux traits marqués par l'inquiétude est aussi à mes côtés. Les cheveux courts et grisonnants de ma mère brillent à la lumière du soleil qui s'infiltre au travers des stores baissés.

— Qu'est-ce que je fais ici ? dis-je, d'une voix affreusement rauque.

Je me passe en revue et constate les dégâts. J'ai un bras dans le plâtre et une atroce douleur aux côtes. Ils m'ont d'ailleurs fermement entouré d'une bande autour de la taille, et je souffre au moindre mouvement. Même ma respiration est insupportable. Je suis uniquement capable de bouger mes jambes qui sont légèrement engourdies.

— Abby ? Elle va bien ?

— Logan, mon chéri, tu… tu…, commence ma mère en jetant un rapide coup d'œil embarrassé à mon père. Tu n'étais pas avec Abby, tu…

— Marley ? Comment va Marley, Maman ?

Je percute. Abby n'est plus là depuis longtemps. Ma peine est bien présente. C'est ancré en moi, une trace indélébile tatouée sur mon cœur. Une habitude. Le temps a passé.

— Marley va bien. Tout va bien, me rassure-t-elle.

J'essaie de m'asseoir, mais cela m'est impossible tant la douleur me paralyse. Je râle et abandonne toute tentative. Ma mère remonte mon oreiller et actionne le mécanisme du lit pour me relever le buste.

— On est où, là ?

— À l'hôpital de Freeport au Texas, indique mon père.

— Je suis à l'hôpital depuis combien de temps ?

— Quatre jours. Nous sommes venus dès que nous avons appris. On a eu si peur, s'horrifie ma mère.

Ma mémoire me joue des tours. Je ne sais plus trop pourquoi je suis ici au Texas. En me concentrant davantage, je me souviens de Marley, du Heaven, du ranch, de mon frère et Kandy, puis… puis de Sarah. Mes souvenirs sont confus. Je mélange le passé et le présent. J'ai une curieuse impression. Une impression de trahison, de doute.

— Qu'est-ce qui nous est arrivé ? Sarah va bien ?

Après une tendre caresse sur mes cheveux et sur mon visage, ma mère recule et s'assied sur un fauteuil.

— Vous avez eu un accident...

— Non, Carole ! s'emporte mon père. On a essayé de les tuer.

— Oui, c'est vrai. Mais le résultat est le même et, fort heureusement, ils n'ont rien.

— Sarah ?

Personne ne me répond.

— Ta Sarah est une grosse pute, s'exclame mon frère en rentrant dans la chambre, muni de deux cafés.

— Joshua ! le réprimande ma mère. Je t'interdis de parler comme ça.

Je lui demande, perdu, tout en me remémorant un détail.

— Tu ne devrais pas être en Floride ?

Je me souviens tout à coup de lui et de Kandy.

— Toi, bloqué dans un lit d'hôpital, tu crois que j'aurais manqué l'occasion de pouvoir enfin te mettre une bonne branlée ? raille-t-il en tendant les gobelets fumants à mes parents.

Je ris, mais c'est une très mauvaise idée tant je souffre. Je fais une nouvelle tentative pour me redresser, mais la douleur persiste et me colle à nouveau sur le matelas.

— Quelqu'un pourrait m'expliquer ce qu'il s'est vraiment passé ? finis-je par m'impatienter.

Comble de malchance, une infirmière, avertie de mon réveil, choisit ce moment précis pour pénétrer dans la chambre. Elle fait sortir tout le monde pour m'examiner. Une fois les tests terminés, elle s'arrête au pas de la porte et m'annonce, le visage grave :

— Vous avez eu beaucoup de chance, jeune homme.

— Excusez-moi, mais comment va la fille qui était avec moi ? Marley Hopkins ?

— Elle va bien. Elle a été éjectée du véhicule sous le choc. Elle s'en est sortie avec une commotion, quelques petites contusions et une fracture au poignet. Elle vient juste de sortir de l'hôpital.

— D'accord, merci.

Peu à peu tout se remet en place dans mon esprit. Malibu, le Heaven, le chantage, le ranch, les menaces, Ricardo, le kidnapping qui ne devait pas en être un finalement, la photo de Loreen Hopewell — alias Sarah —, le van qui percute de plein fouet la remorque de mon pick-up, tout s'enchaîne à une vitesse folle.

— Et… Loreen ? hésité-je, le souffle coupé par la tonne d'informations qui déferle dans mon esprit.

— Elle est gravement blessée. Mais ses jours ne sont plus en danger.

— Et Ricardo ?

— Qui est Ricardo ?

— L'homme qui était avec elle.

— Nicholas Hopewell est décédé sur le coup.

Sur ces mots, l'infirmière quitte la chambre. Seul, je ressasse toute cette histoire. Je suis en colère. Oui !

En colère contre Sarah… Enfin, Loreen, qui nous a menés en bateau tout le long. Je ne connais pas le fin mot de l'histoire. Je comprends juste qu'elle et son frère étaient des imposteurs. Qui est vraiment cette Loreen ? Je veux des explications. Et Marley ? Pourquoi n'est-elle pas venue me voir avant de partir ? Qu'ai-je fait de mal ? Tous mes sentiments pour elle refont surface. J'ai envie de la voir, de lui parler, de savoir comment elle va. Mais je suis bloqué dans ce foutu lit. J'étire mon bras valide vers la table de nuit et tente douloureusement d'attraper mon téléphone. L'écran est fissuré. Il ne s'en est pas sorti indemne, lui non plus. Je regarde s'il fonctionne encore. C'est bon. Il s'allume. Je cherche le numéro de Marley dans mon répertoire et l'appelle avant que mes parents et mon frère ne reviennent.

— Oui… décroche-t-elle.

— Ça va ?

— Et toi ? cherche-t-elle à éviter de répondre.

— Je me réveille.

— Oui. On me l'a dit.

Quelque chose dans sa voix m'inquiète.

— Pourquoi n'es-tu pas passée me voir avant de partir ?

— Logan, commence-t-elle avec une longue inspiration. Mon… mon père est… mort.

*Oh merde !* Je reste bouche bée un court instant, puis l'incompréhension m'envahit.

— Qu'est-ce… qu'est-ce qui lui est arrivé ?

— Il… il…, pleure-t-elle tout à coup. Il l'a étouffé…

279

Elle se tait. Elle est incapable d'en dire plus tant les sanglots la submergent. Je ne veux pas en savoir davantage. Je percute. Ricardo... Nicholas a dû assassiner son père durant sa sieste avant notre course-poursuite.

L'enfoiré, la pourriture, l'ordure !

— Toutes mes condoléances...

— Je... je te laisse.

Elle raccroche.

Je crois vivre un enfer. Mon téléphone glisse entre mes doigts et j'enfonce ma tête dans le coussin, abattu par la terrible nouvelle. Je donnerais tout pour être à ses côtés et pouvoir la soutenir. J'ai la rage aux tripes. J'ai envie de tout casser, de crier, de hurler.

Mes parents et mon frère finissent par revenir de la cafétéria avec une part de gâteau pour moi que je ne peux avaler. Rien ne passe. Je n'ai envie de rien. J'ai juste besoin de me barrer d'ici et de retrouver Marley, d'endurer cette épreuve avec elle. J'apprends par mon frère que l'enterrement avait lieu cet après-midi. Je peux imaginer l'état dans lequel elle se trouve. Elle qui aimait tant son père. C'était son unique famille. Elle est seule, désormais.

Vers dix-huit heures, après un dîner que je n'ai guère touché, mes parents et mon frère s'en vont. Dix minutes plus tard, un inspecteur de police se pointe pour prendre ma déposition. Je lui dis tout ce que je sais. C'est-à-dire pas grand-chose. Je lui parle de Loreen et lui déclare qu'elle s'est fait passer pour Sarah, une jeune fille de vingt et un ans, originaire de Seattle. Et, aux dires de l'inspecteur, il existe bien une Sarah de Seattle sauf qu'elle s'est fait usurper son identité par le frère et la sœur Hopewell, ces deux bandits recherchés depuis des mois. Et le clou du spectacle est que Loreen — qui est en fait âgée de vingt-cinq ans — est l'heureuse mère d'un petit garçon de six ans. Il vit dans une famille d'accueil au Texas, là d'où sont originaires les Hopewell. Ironie du sort, il s'appelle Logan. Elle m'a vraiment pris pour le dernier des imbéciles, et moi, j'ai marché à fond. J'ai pris la virginité d'une mère ! La bonne blague ! J'ai été aveuglé. J'ai perdu un temps fou. Je suis vraiment remonté contre elle. Tellement en rogne que, lorsque l'inspecteur sort de ma chambre, je rassemble toutes mes forces pour sortir du lit. Il me faut davantage d'explications. Je veux savoir pourquoi cette garce a agi comme ça. Atteindre Marley et son père, oui ! C'était apparemment leur but pour venger leur petite sœur décédée au ranch. C'est ignoble, mais sensé. Et moi, dans l'histoire ? J'étais qu'un dommage collatéral, un pantin ? Je veux l'entendre de sa bouche.

Péniblement, j'enfile un short. Je ne peux pas mettre de tee-shirt, mais ça m'est égal. Je gagne le couloir en serrant la mâchoire tant je souffre le martyre. Je dois m'aider des murs pour me soutenir. Je ne sais absolument pas dans quelle chambre elle est, mais j'avance. Je finirai bien par trouver quelque chose ou quelqu'un capable de me renseigner. Heureusement pour moi, je ne croise pas de personnel soignant. Ils m'auraient directement renvoyé dans ma chambre.

Au bout du couloir se tient un officier de police. Je mettrais ma main à couper qu'il s'agit de sa chambre.

— Excusez-moi, est-ce la chambre de Loreen Hopewell ?

— Et vous êtes ? demande-t-il en me toisant de haut en bas, la main sur son holster.

— Logan Campbell.

— Une des victimes ?

— Oui.

— Désolé, vous ne pouvez pas entrer.

Affaibli d'avoir marché jusqu'ici, j'appuie une épaule contre le mur.

— Écoutez, vous voyez mon état. Je ne vais rien lui faire. J'ai juste besoin d'avoir une conversation avec elle. Accompagnez-moi si vous le voulez, je m'en fiche, mais, s'il vous plaît, laissez-moi la voir.

Il me scrute une nouvelle fois et réfléchit un instant.

— Vous avez cinq minutes et pas une de plus. Et laissez la porte ouverte, finit-il par abdiquer.

— Merci.

Lorsque je pénètre dans la pièce sombre, je suis aussitôt frappé par l'ampleur des dégâts. Je ne la plains pas, mais je ne suis pas quelqu'un de foncièrement méchant. Je ne souhaiterais cela à personne, même à ma pire ennemie qui se trouve précisément devant moi. Tout un côté de son visage est bandé. Elle a été brûlée. Je crois comprendre aussi qu'elle a été amputée de sa jambe droite. Elle ne dort pas, cependant, elle m'ignore. Elle reste immobile, le regard dans le vide. Un de ses poignets est menotté au barreau de son lit. Ironique, vu son état, ça m'étonnerait qu'elle aille bien loin.

Je m'avance en contournant le lit et viens lui faire face.

— Sa… Loreen ? dis-je, d'une voix tendue.

Elle ne bronche toujours pas. Ses brûlures et ses blessures l'empêchent peut-être de parler. Je pensais avoir des tas de choses à lui dire, de nombreuses questions à lui poser, mais je suis choqué de la voir comme ça. Je m'approche encore un peu et m'assieds partiellement sur le rebord du lit en réprimant un grognement de douleur.

— Pourquoi ?

Voici le seul et stupide mot qui me vient. Évidemment, elle ne me répond pas. J'insiste, mais toujours rien. Quand je pense qu'il est inutile de continuer et que je commence à me redresser, elle agrippe avec force mon bras valide et plante ses ongles dans ma chair. Elle marmonne quelque chose. Je ne comprends rien. Elle gémit, grogne, râle et se met à remuer dans tous les sens. Elle croise enfin mon regard et ce que j'y perçois est de la folie, de la haine et du désespoir. Tout à coup, elle hurle, se débat et convulse, comme possédée par un démon. Ses gestes brusques débranchent tous les tubes de ses assistances médicales. Surpris, je fais un pas en arrière après m'être défait de sa poigne.

L'officier gagne aussitôt la chambre.

— Reculez ! crache-t-il.

— Je ne l'ai pas touchée.

— Je sais, cette fille est folle ! Je dis ça pour votre sécurité.

— Elle n'arrive plus à parler ?

— Les médecins disent qu'elle pourrait, m'informe-t-il. Je vous ai laissé rentrer pour cette raison. Je me suis dit qu'avec vous, elle mettrait peut-être un terme à son cinéma. Mais, apparemment, cette tarée a décidé de la boucler.

Je la regarde. Elle s'est calmée. Son visage est redevenu impassible. Je ne peux pas m'empêcher d'éprouver de la pitié. Je ne saurai sans doute jamais si elle a joué entièrement la comédie avec moi. Je ne saurai jamais le fin mot de l'histoire. Peu importe, elle n'en vaut pas la peine. J'ai été le dindon de la farce. Elle nous a manipulés. Point barre.

— Retournez dans votre chambre avant que les infirmières ne débarquent.

Je m'exécute.

Il se passe quatre jours avant que l'on me laisse sortir. Je ne suis pas totalement guéri et prêt à quitter l'hôpital, non ! J'aurai dû y rester encore quelques jours. Cela dit, j'ai été infernal avec tout le personnel médical. Les médecins ont accepté ma sortie sous la condition de la présence d'une infirmière à domicile. Je dois retourner chez mes parents. Je ne suis pas spécialement content. Mais, ai-je vraiment le choix ?

Avant de repartir en Géorgie, j'ai toutefois quelque chose à faire, quelqu'un à voir : Marley. Je n'ai plus de ses nouvelles depuis le jour où j'ai appris la mort de son père. Elle n'est jamais venue me voir, n'a répondu ni à mes appels ni à mes SMS. Elle a juste accepté mon invitation d'ami sur Facebook. J'ai tenté un message sur Messenger, ce matin. Là encore : aucun signe de vie.

Mes parents sont repartis hier pour préparer mon arrivée chez eux. Mon frère est resté à l'hôtel et a loué une voiture. Il vient me chercher vers quatorze heures pour m'amener au ranch.

— Mon grand ! Comment vas-tu ? m'accueille gentiment Marita sous le porche tout en m'étreignant avec précaution.

— Bien.

— Je suis désolée, dit-elle avec beaucoup de sincérité dans le regard. Je voulais venir te rendre visite à l'hôpital, mais au vu des circonstances…

Je lui coupe la parole, elle n'a pas à se sentir navrée.

— Je comprends, ne vous inquiétez pas.

Je lui souris et m'enquiers :

— Marley est ici ?

Elle prend un air inquiet et triste à la fois.

— Oui. Elle est sur la plage. Là où nous avons déversé les cendres de Paul. Elle y passe toutes ses journées depuis. Cette petite est dévastée par le chagrin. On ne sait plus quoi lui dire.

— Merci. Je vais aller la voir.

— Ta visite lui fera plaisir.

Je me tourne vers mon frère et lui indique de m'attendre là. Quand je pars en direction de la plage, j'entends Marita demander à Joshua des nouvelles de Kandy. Mon frère doit la rejoindre à Miami la semaine prochaine. Il ne l'a pas dit à mes parents, mais il a l'intention de s'enfuir avec elle. Je l'ai mis en garde. Il risque sa vie. Cependant, qui suis-je pour le juger ou pour l'en empêcher ? J'aurais été au bout du monde pour Abby et aurais bravé n'importe quel danger. Je le ferais aussi pour Marley. Je suis bien venu, ici, au Texas, pour elle, sous la menace d'un maître-chanteur qui ne plaisantait pas. Mon frère et moi, on se ressemble physiquement, mais pas uniquement, on partage aussi cette même profonde envie ou ce besoin viscéral de savoir les personnes qu'on aime en sécurité et, surtout, les savoir heureuses.

Après une petite marche, j'arrive enfin sur la plage. La brise marine est douce. Je passe mon regard de droite à gauche et j'aperçois rapidement Marley, assise face à l'océan. Je la rejoins. Elle est magnifique dans sa robe blanche qui virevolte sous le vent. Mon cœur s'accélère et mon ventre se noue. Il serait malvenu de lui avouer maintenant mes véritables sentiments pour elle, vu le drame dont elle est victime. Cela dit, je peux essayer de lui faire comprendre que je serai toujours là pour elle.

— Je n'ai jamais vu une aussi belle sirène échouée sur la plage, dis-je en arrivant à sa hauteur.

Aux premières notes de ma voix, elle tourne la tête en ma direction et esquisse un triste sourire. Ses yeux rouges et fatigués brillent. Une larme roule sur sa joue.

— Cette place est prise ? plaisanté-je ensuite en lui montrant le sable.

Elle émet un léger rire contenu.

— J'attends quelqu'un.

— Et qui est ce chanceux ?

Son sourire s'élargit. Elle renifle et s'essuie le visage.

— Mister Juillet du calendrier Sexy boys.

— Il semblerait qu'il t'ait posé un lapin.

Elle me répond du tac au tac.

— Ces hommes ! Tous les mêmes…

Je prends place à ses côtés et lui tends mon bras valide pour qu'elle vienne se blottir contre moi. Elle hésite et finit par se laisser aller. Mes côtes me faisant toujours aussi mal, je ravale ma douleur. Peu importe ma souffrance, je veux la tenir contre moi. J'en ai tant rêvé, ces derniers jours.

— Tu m'as manqué, murmuré-je, tout en embrassant ses cheveux.

Elle déglutit bruyamment et renifle une fois encore.

— Je suis désolée, j'avais besoin de…

Je l'interromps.

— Ne le sois pas, je comprends.

Je sens que sa culpabilité s'apaise.

Nous restons un moment sans prononcer un mot, savourant notre étreinte. Je suis bien placé pour savoir qu'il n'y a rien à dire à quelqu'un qui a perdu un être cher. Il suffit d'une épaule pour pleurer, de chaleur humaine, et c'est tout.

— Je vais devoir m'en aller, lui annoncé-je en brisant le silence.

Elle se redresse et rive son regard au mien.

— Où ?

— Je retourne chez parents, dis-je en accompagnant ma parole d'une grimace. Je suis assigné à résidence le temps que mes blessures se résorbent.

J'aimerais qu'à cet instant, elle me supplie de rester avec elle, que je lui ai manqué et qu'elle ne souhaite pas mon départ, mais ce n'est pas le moment. Elle doit encaisser le deuil de son père et remettre sa vie sur les rails, alors je me contente de son magnifique sourire.

— On se reverra ? demande-t-elle au bout d'un silence.

— Tout dépendra de toi.

— Comment ça ?

J'ôte mon bras qui l'entoure et me lance malgré tout.

— Marley, je… Comment te dire ça ? Je…

*Bon sang ! Dire « je t'aime » à la personne de son cœur, ce n'est pas si compliqué ! Si ?*

— Je sais, me coupe-t-elle la parole.

L'intensité qu'elle met dans son regard me fait comprendre qu'elle connaît mes sentiments, qu'elle a vu clair en moi. Aussi, je perçois de la tendresse et, pour la première fois depuis notre rencontre, de l'amour dans notre échange. Mais elle ne me dira rien et me laissera partir. J'en suis intimement persuadé.

Elle baisse les yeux sur mes lèvres et, lentement, elle approche le menton de mon visage. Je ferme les paupières et accueille ses lèvres dans un soupir. Son baiser est doux et plein de promesses. Je le savoure ; je sais que je n'en recevrai pas d'autre d'ici un bout de temps. Je comprends que, quand elle se sentira prête, elle me fera signe. Si toutefois, elle l'est un jour.

Il me faut une force surhumaine pour quitter sa bouche et me lever. Il est temps pour moi de partir. Mon frère m'attend, et nous avons beaucoup d'heures de route devant nous. Je lui dis au revoir. Elle m'étreint une dernière fois avant de déposer un autre baiser sur ma joue.

Ravagé par la peine, je m'en vais.

— Logan ? me rappelle-t-elle.

Je me retourne.

— Oui ?

— Merci. Merci pour tout.

Je hoche la tête.

— De rien. Avec plaisir.

Je poursuis mon chemin le cœur lourd et tout le poids du monde sur les épaules.

— Hey ! Sexy boy, me rappelle-t-elle une fois encore.

Je pivote à nouveau, un large sourire aux lèvres malgré le chagrin.

— Hum ?

Elle hésite. Je sens qu'elle cherche à me dire quelque chose.

— Faites bonne route !

Déçu, je lui décoche un clin d'œil et file pour de bon, cette fois-ci.

Sur le sentier qui mène au ranch, je ressens une sensation étrange. Quelque chose que je n'avais pas ressenti depuis très longtemps. Mes yeux deviennent humides et ma gorge devient sèche, extrêmement sèche. Je n'ai plus aucune salive. Mon estomac se tord. Mon regard est flou et, pour la première fois depuis deux ans, une larme coule sur ma joue. Je suis en train de pleurer. De pleurer comme un gosse. J'ai mal et je suis seul. J'avais repris goût à l'amour. Cette émotion qui vous comble l'âme et l'esprit. Je suis à nouveau vide.

Malgré tout, je garde un infime espoir : ce sentiment qu'il m'a été à nouveau permis d'éprouver en faisant la connaissance de Marley.

# ÉPILOGUE

# MARLEY

*6 mois plus tard...*

*Prison pour femmes de Mountain View unit, Gatesville, Texas.*

L'alarme de la grille qui mène au parloir retentit. Je passe le seuil et me dirige le long du couloir. Cela fait deux mois que je me rends ici, tous les jeudis. Je cherche des explications, des réponses sur le meurtre de mon père et cette tentative d'assassinat sur Logan et ma personne. Après quelques opérations et une courte convalescence, Loreen Hopewell a été incarcérée dans ce pénitencier en attente de son jugement. Elle encourt la peine de mort. Punition qui me déplaît souverainement, vu mon envie de lui arracher les yeux à la pince à épiler. L'injection létale est une sucrerie face à ce que je souhaiterais lui infliger. Surtout lorsque je me retrouve face à elle dans ce maudit parloir devant une vitre et sous la surveillance de deux gardiennes.

Comme tous les jeudis, je m'assieds et attends qu'elle traîne sa patte folle et mette ses fesses de garce sur son siège. En deux mois, elle ne m'a pas décroché un mot, mais peu importe. Je reste et attends que le temps s'écoule en lui narrant mes sempiternels monologues. Je lui raconte tout. Je n'omets aucun détail de ma vie. Je vais même jusqu'à lui détailler mes parties de jambes en l'air. J'ai essayé de la faire réagir en lui avouant la haine que je ressens envers son enfoiré de frère et la réjouissance que j'ai de le savoir mort. Mais, malgré quelques clignements nerveux de paupières, elle reste impassible. Loin de la pauvre petite Sarah qui avait un besoin urgent de se faire retirer le balai qu'elle avait profondément incrusté dans le cul.

Aujourd'hui n'est pas différent des autres jours. Elle prend place et me fixe sans ciller. Je me munis de mon magazine *Elle* et commence à le feuilleter tout en réfléchissant à une nouvelle tactique. Je n'ai jamais exploité la piste de sa sœur Maddy et de ses parents. Alors, je décide d'engager le sujet sans y mettre les formes, et j'avoue ne pas y aller avec des pincettes.

— Alors, Loreen ? Tout va bien ? Ton enfoiré de frère et ta pauvre petite sœur ne te manquent pas trop ?... Tu sais, plus les jours passent, plus je me dis que, finalement, si Maddy était aussi niaise et mauvaise que toi, la mauvaise chute qu'elle a fait à cheval, elle ne l'a pas volée... Je dis ça parce que tomber de cheval est une chose, mais j'ai lu le rapport de l'accident. Le cheval s'est cabré, puis il s'est emballé. Elle a pris peur, mais, au lieu de rester bien agrippée aux rênes et d'attendre qu'il se calme, elle s'est accrochée à la première branche d'arbre qui lui est passée sous la main et là, ce fut le drame ! Crac ! La branche s'est rompue et, une fois encore, crac ! Le cou de ta sœur s'est brisé sur le rocher au-dessous...

— Ferme-la... me fusille-t-elle du regard.

— Oh ! Mais elle parle ! Magnifique ! Cela dit, je n'ai pas envie de la boucler, alors tu vas écouter la suite. Parlons de tes parents, tiens ! Quelle bande de lâches de s'être suicidés après le non-lieu ! Ton père qui...

— C'était pas mon père, me coupe-t-elle la parole en agrippant nerveusement les accoudoirs de sa chaise.

— O.K., O.K... Ton beau-père, si tu veux ! D'ailleurs, à ce sujet, j'ai pu comprendre qu'il s'est montré incestueux avec notre pauvre petite Loreen. Eh oui ! Là aussi, j'ai fouiné. Il y a environ huit ans, une plainte pour viol a été déposée, mais elle a aussitôt été retirée ? Tu m'expliques ?...

Vu qu'elle garde le silence, je poursuis.

— Non, tu n'as pas l'air décidée... Si c'était encore possible, mais hélas ! Ça ne l'est plus. Il aurait été marrant de procéder à une analyse A.D.N sur ton fils ? Comment s'appelle-t-il déjà ?... Ah, oui, Logan, c'est ça ?

Je me tais et jauge ses réactions. Pour la première fois, une larme perle sur sa joue balafrée par la cicatrisation de ses brûlures.

J'ai touché un point sensible : son fils. Je poursuis.

— Toute cette histoire est ironique, raillé-je. En parlant de Logan, *notre Logan*. Celui qu'on a eu en commun. As-tu éprouvé ne fût-ce que l'ombre d'un sentiment pour lui ? As-tu été une seule fois sincère avec lui ? Pourquoi l'as-tu mené en bateau comme ça ? Il ne demandait rien.

— Je l'ai aimé, lâche-t-elle.

— Tu l'as aimé ?! Drôle de façon d'aimer, je…

Elle se lève subitement et se met à crier.

— Je voulais tout arrêter ! J'allais tout avouer ! On voulait venger la mort de notre sœur ! Ton père devait payer ! Mais tout ceci était en train de prendre un mauvais tournant. Mon frère devenait instable. J'étais venue te prévenir qu'il était sur le point de s'en prendre à ton père. J'étais en train de faire marche arrière parce que j'avais compris que cette vengeance ne ramènerait jamais Maddy. Mais je vous ai vus dans ce putain de champ. Je savais que vous couchiez ensemble. Je vous ai suivis des tas de fois ! Je vous ai vus dans l'océan ! Mais mon frère voulait que je me taise, que je ferme ma gueule. Il m'a forcée à le partager avec toi ! Il voulait te baiser ! Il voulait baiser la fille de l'homme que nous détestions le plus au monde ! Il savait que si je rompais avec Logan, tu te précipiterais dans les bras de mon mec, et qu'il n'y aurait plus moyen de te mettre dans son lit. Tu me traites de garce, mais tu ne vaux pas mieux que moi ! Tu n'es qu'une salope arrogante et égocentrique !

Ses mots ne m'atteignent pas. Je me fiche éperdument de son jugement. Elle fait quelques pas vers la sortie, prête à demander qu'on la ramène dans sa cellule. Je la rappelle. Elle se retourne et m'écoute.

— Une dernière question et je te laisse à ta misérable existence. Pourquoi ton frère nous a foncés dessus avec son van ?

— Il n'avait plus rien à perdre. C'était la fin pour lui. Il voulait se suicider et tous nous tuer au passage. Encore une fois, j'ai essayé de l'en empêcher.

— Et tu veux que je te donne une médaille… ? Va en enfer, Loreen !

Je quitte ma place, le cœur battant à vive allure et avec l'envie de hurler. Au bout de deux mois de ténacité, j'ai enfin eu des réponses. Je suis toutefois consciente que certaines questions importantes resteront à jamais dans l'obscurité.

Pourquoi avoir pris la vie de mon père ?

La vengeance ?

Non. On ne se venge pas contre un innocent.

La folie ?

Peut-être…

\* \* \*

*6 mois plus tard...*

Après la mort de mon père, j'ai hérité du ranch. Je suis retournée un temps à Malibu où je me suis occupée de la vente du bar et où j'ai enfin pu entamer une procédure de divorce avec mon ex. Je suis aujourd'hui une femme célibataire et, à vrai dire, cela me plaît. Le Heaven a été vendu, mais j'ai gardé la maison sur la plage. Suzy et Marita ont pris la gérance du ranch. J'y fais un saut de temps à autre pour y régler des problèmes d'ordre financier.

Et...

Et, en fait, avouez... Vous vous en fichez pas mal du sort de mes biens immobiliers ou de mes finances, pas vrai ? Ce qui vous intéresse, c'est d'avoir des nouvelles de mon Sexy boy ?

J'ai revu Logan lors du procès de Loreen, il y a trois mois. Figurez-vous qu'il est en couple. Oui ! Vous avez bien lu ! Logan a trouvé chaussure à son pied. Une jeune fille prénommée Vicky qui, finalement, et si je passe outre ma jalousie, lui correspond bien. Une artiste peintre qui le suit dans son tour du monde en hommage à Abby. Le jour du procès, ils avaient l'air très amoureux. Nous avons parlé quelques minutes et nous nous sommes à nouveau perdus de vue. Je le suis sur Facebook et, à part des « j'aime » et des échanges de commentaires par-ci par-là, je n'ai plus vraiment de nouvelles.

Ce que j'en pense ?

J'ai laissé fuir un homme extraordinaire, mais mon caractère fait que je ne regrette rien. Nous

298

aurions fini par nous déchirer pour des futilités routinières et je refuse de voir Logan de cette manière. Je veux qu'il reste mon amant, mon fantasme. Il est tellement plus beau et séduisant ainsi. Je suis heureuse pour lui, même si je regrette pas mal de choses. Au final, notre histoire ne devait pas s'écrire. Nous l'avons simplement effleurée du bout des doigts...

Je finirai bien par trouver un homme qui me corresponde. En attendant, je profite de l'instant, un cocktail en main, sur une plage à Hawaii.

## REMERCIEMENTS :

Tout d'abord, je tenais à remercier **mon homme, ma famille, mes amis proches** pour leur soutien inconditionnel.

Ensuite, merci à mes bêta-lectrices : **Valérie L., Céline L., Emelyne D., Sabine D., Corinne, Sabrina T., Sylvie B., Nicole L., Elisabeth P., Elodie C., Florence Fll, Laetitia R., Jennifer DP, Vanessa, Peggy M., Virginie A., Christine B., Deborah B., Céline, Caroline D., Isabelle S., Séverine D., Christelle M., Jennifer LM, Émilie B., Carolyne N.** Vous en avez bavé avec mes trois versions. Navrée ! Mais c'était pour voir si vous suiviez, ah, ah ! Et, ma foi, vous avez bien suivi. Je suis heureuse de pouvoir compter sur une équipe telle que la nôtre. Nous avons ri, nous avons parfois même pleuré. Ce partage d'émotions fait notre force.

Par la suite, je n'oublie pas **Anne**, ma belle Anne... ma correctrice. Que ferais-je sans toi ? Merci ! Merci pour tout. Merci pour ta sympathie, ta confiance, ton soutien, et surtout pour ton savoir. Tu es la meilleure, n'en doute jamais ! J'apprends tellement de toi...

Je souhaite aussi remercier deux personnes qui se sont ajoutées à l'histoire suite à un défi. Je souhaitais aller au bout de mon livre, je voulais le créer de A à Z. Je voulais qu'il ressemble en tout point à ce que je désirais vraiment. J'ai donc engagé deux personnes pour la couverture : un photographe, et pas des moindres : Monsieur **Laurent Kacé** et un mannequin... non ! Un très beau mannequin :

Monsieur **Antoine Careil**. Je vous remercie tous les deux pour votre disponibilité, votre professionnalisme et votre bonne humeur qui ont fait de ce jour, ce shooting un merveilleux moment qui restera gravé à jamais dans ma mémoire. MERCI.

Merci aussi à l'agence **D.M.A** (Danièle Models Agency) pour leur gentillesse.

Merci ensuite à mes **lectrices** et à tous ceux et celles qui me suivent sur Facebook. Vous êtes toujours dans mes pensées et dans mon cœur. Sans vous, l'aventure serait fade et dépourvue de sens.

Je pense aussi à toi, Miss « **Ella T** » ;)

## MERCI.

Printed in Great Britain
by Amazon